Guide pratique du jardinage écologique

Guide pratique du jardinage écologique

François Gariépy

ÉDITIONS MICHEL QUINTIN

Catalogage avant publication de Bibliothèque et Archives Canada

Gariépy, François

 Guide pratique du jardinage écologique

 (L'écologique)
 Comprend des réf. bibliogr. et un index.
 ISBN 2-89435-278-6

 1. Jardinage biologique – Guides, manuels, etc. I. Titre. II. Collection : Écologique.

SB453.5.G372 2005 635'.0484 C2005-940267-9

Édition : Johanne Ménard

Révision linguistique : Colette Séguin

Photographies : François Gariépy
     Jardin botanique de Montréal – Daniel Fortin (couverture avant)
     Daniel Dupont (p. 59)
     Michel Quintin (p. 71, 123, 149, 165)

Aides-photographes : Raymonde Lebreux et Sylvie Pasquin

Aide-jardinier : Noé P. Frenette

Illustrations : Francine Mondor

Conception graphique : Céline Forget et Polygone Studio (Marc Lalumière)

Infographie : Céline Forget et Polygone Studio (Éric Millette et Éric Tremblay)

Patrimoine Canadian
canadien Heritage

Gouvernement du Québec – Programme de crédit d'impôt pour l'édition de livres – Gestion SODEC

Les Éditions Michel Quintin bénéficient du soutien financier de la SODEC et du gouvenement du Canada par l'entremise du Programme d'aide au développement de l'industrie de l'édition (PADIÉ) pour leurs activités d'édition.

ISBN 2-89435-278-6
Dépôt légal – Bibliothèque nationale du Québec, 2005
      Bibliothèque nationale du Canada, 2005

© Copyright 2005
Éditions Michel Quintin

C.P. 340
Waterloo (Québec)
Canada J0E 2N0
Tél. : (450) 539-3774
Téléc. : (450) 539-4905
www.editionsmichelquintin.ca

Imprimé au Canada

Avertissement : Les prix inscrits pour certains articles et services ne le sont qu'à titre indicatif.

Table des matières

Introduction

Des parfums d'herbes aromatiques me réveillent douce-
ment. La libellule exécute ses prouesses au-dessus de
l'étang pendant que la rosée perle sur les roses et achève
d'abreuver la coccinelle déjà gavée. Le coassement de la
grenouille participe au concert des hirondelles bicolores et
des jaseurs d'Amérique. Me voici dans un environnement
digne de la campagne et pourtant je suis bel et bien en
ville, dans mon jardin qui déborde de vie.

Tout comme j'ai pris plaisir à réaliser l'aménagement de
mon terrain, amusez-vous à modifier votre milieu en tenant compte des lois de la nature. Votre jardin sera alors
à votre mesure, à votre goût et tout votre voisinage en
profitera ! C'est le but de ce *Guide pratique du jardinage
écologique* : vous prodiguer des conseils utiles afin que
vous puissiez concrétiser vos projets avec aisance et sans
coûteux détours.

Un guide simple et facile d'accès

Le *Guide pratique du jardinage écologique* se distingue des autres livres publiés sur le jardinage tant par son contenu que par sa présentation. Dans ce guide, nous vous accompagnons en décrivant précisément, étape par étape, les différents gestes à poser pour que vous puissiez créer avec assurance votre propre jardin écologique sans pesticides ni engrais de synthèse.

Nous vous donnons toute l'information nécessaire pour effectuer les travaux au jardin, de l'analyse de votre environnement à la récolte de vos produits. De nombreuses photos et illustrations en couleurs accompagnent ces renseignements. De plus, nous vous fournissons des conseils précis et utiles sur l'achat d'outils et de matériaux, qui vous feront économiser temps et argent. Par ailleurs, même s'il est conçu pour des terrains de petites et moyennes dimensions, ce guide peut très bien servir à des jardins beaucoup plus grands, puisque nous y abordons les techniques de base du jardinage écologique.

Organisation du guide

1. Préparez votre jardin

Nous vous livrons des conseils pratiques sur la planification de votre jardin écologique en fonction du milieu dans lequel vous voulez jardiner. C'est la clé du succès.

2. Organisez votre jardin

Nous traitons des activités qui permettent de gérer votre jardin de façon écologique.

3. Des plates-bandes en santé

Nous abordons de façon concrète la fertilisation et la lutte écologique contre les maladies et les ravageurs.

4. Des constructions utiles

Nous vous présentons quelques projets qui non seulement s'intègrent harmonieusement dans un jardin écologique, mais qui donnent aussi le goût d'y séjourner.

5. De la semence à la récolte

Nous vous proposons des façons simples de démarrer vos propres semis et de cultiver vos légumes favoris, étape par étape.

Chaque chapitre débute par une introduction qui vous donne les bases théoriques pour comprendre les fiches pratiques qui suivent. Il est important de la lire attentivement, parce qu'elle complète l'information technique des fiches pratiques.

Une série de fiches vous livrent ensuite des techniques efficaces de jardinage et vous suggèrent des trucs pratiques.

Le *Guide pratique du jardinage écologique* se consulte facilement grâce à la table des matières détaillée, au glossaire et à l'index des mots cités. Une liste des ressources et une bibliographie viennent compléter l'information.

À propos de jardinage écologique

Le guide prône un jardinage respectueux de l'environnement et qui peut aider à préserver votre santé: le jardinage écologique. De ce point de vue, le jardinier génère peu de déchets et participe au recyclage de la matière végétale afin de produire du compost fertilisant. Également, il intègre dans ses aménagements des matériaux de construction nobles comme la pierre et le bois non traité. De plus, il délaisse les pesticides de synthèse qui causent des torts à l'environnement et aux êtres humains. Le jardinier recourt plutôt à des méthodes écologiques de lutte contre les maladies et les ravageurs. Par ailleurs, il privilégie les plantes indigènes et contribue par conséquent à la renaturalisation de nos banlieues et de nos villes. Enfin, s'il fait une place à un bassin d'eau, en plus d'attirer des insectes utiles et des prédateurs comme les libellules et les demoiselles, il participe à la sauvegarde des espèces menacées comme certaines grenouilles.

Nous espérons que ce guide saura vous aider à réaliser vos rêves de jardinage, et que vous pourrez ainsi contribuer à améliorer l'environnement. Puisse-t-il à tout le moins être une source d'inspiration. Bon jardinage!

Chapitre 1
Préparez votre jardin

Pour intégrer harmonieusement ses activités aux cycles naturels, le jardinier a tout intérêt à prendre conscience de son environnement. Dans ce chapitre, nous vous proposons une démarche qui vous permettra d'atteindre cet objectif tout en économisant temps et argent. Notre but : vous fournir toutes les indications nécessaires pour que l'étape de la préparation du jardin garantisse la réussite de vos projets de jardinage écologique.

La lumière en priorité

Le calcul de la lumière disponible sur votre terrain est la condition primordiale à respecter pour aménager un jardin écologique. Si vous ne placez pas la bonne plante au bon endroit, maladies, insectes ravageurs de toutes sortes, récoltes décevantes et floraisons avortées seront votre lot. En effet, la lumière constitue la première source de nourriture indispensable à la plante. Elle permet d'effectuer la photosynthèse, à la base de la vie des plantes. La photosynthèse est le processus par lequel les végétaux fabriquent de la matière organique en utilisant la lumière solaire comme source d'énergie. Dans un milieu urbain ou en banlieue, la lumière valse selon les heures de la journée, les saisons et les ombres créées par les bâtiments et les arbres. Mieux vous connaîtrez les heures d'ensoleillement pour chaque parcelle de votre terrain, meilleures seront vos chances de succès.

Examinez votre terrain

Dans un second temps, étudiez attentivement votre terrain : les zones sèches, les zones humides, les zones venteuses, les pentes, les arbres et les arbustes voisins, etc. Ces éléments ont des répercussions sur les possibilités et les limites de votre aménagement. Tenez-en compte et vous réduirez le gaspillage d'énergie sous toutes ses formes : moins d'achats inutiles de plantes, moins d'achats de produits pour combattre les maladies et les ravageurs, moins de temps passé à défaire et à refaire, et aussi moins de doutes quant à vos talents de jardinier !

La fertilisation et le travail du sol

En jardinage écologique, on apporte une attention particulière à la fertilisation afin de produire des plants en santé qui résisteront mieux aux maladies et aux insectes ravageurs. Sans l'analyse de sol, le jardinier a peu d'information sur sa fertilité. À la page 20, nous interprétons un résultat d'analyse, et nous décrivons le rôle des principaux éléments nutritifs dont les végétaux ont besoin.

Vous apprendrez ensuite à identifier vous-même le type de sol de votre jardin, ce qui est essentiel, car il conditionne la façon de le travailler pour le rendre fertile. Nous traitons en détail de la culture d'un sol argileux ou limoneux, d'un sol sablonneux et d'une terre noire.

Puis, afin de ne pas épuiser les minéraux du sol, nous présentons une méthode simple de rotation des cultures pour le potager, un des grands principes du jardinage écologique. Elle consiste à cultiver successivement des plantes aux caractéristiques et aux exigences différentes, dans une même parcelle de terrain.

Enfin, en tenant compte de ces observations et de ces connaissances, vous pourrez tracer le plan de votre aménagement écologique selon vos aspirations.

Le rosier églantier (*Rosa rubiginosa*) est un exemple de plante naturalisée, bien adaptée aux rigueurs des zones froides (zone 3).

Identifiez votre zone de rusticité

Tenez compte de votre zone de rusticité pour choisir vos végétaux et évitez ainsi d'acheter des plantes qui ne résisteront pas aux conditions climatiques de votre région.

La rusticité d'une plante indique sa résistance aux rigueurs climatiques régionales. Le Centre de recherches sur les terres et les ressources biologiques d'Agriculture et Agroalimentaire Canada a publié une carte des zones de rusticité pour tout le pays. Pour sa part, le Québec se divise en 6 zones (de 0 à 5), la zone 0 étant la moins propice à la culture des végétaux. Les conditions s'améliorent progressivement à mesure qu'on se rapproche de la zone 5. De plus, chacune des zones se subdivise en 2 parties, «a» et «b». La lettre «a» indique une région moins favorable à la culture des végétaux que la lettre «b». Par exemple, Huntingdon est situé dans la zone 5a, alors que Montréal fait partie de la zone 5b (voir page 14). Par conséquent, Huntingdon se trouve dans une zone moins favorable à la culture des végétaux que Montréal.

Zones de rusticité de quelques villes du Québec

Alma .3a	Mercier 5a	Saint-Michel-de-Bellechasse . . .4a
Amos. 1b	Mont-Laurier 3b	Saint-Placide. 4b
Baie-Comeau 3a	Montmagny 4a	Saint-Raymond-de-Portneuf . . .4a
Charlesbourg 4b	Montréal 5b	Saint-Sauveur 4b
Châteauguay. 5a	Nicolet 4b	Saint-Timothée. 4b
Chibougamau. 1b	Noranda 2a	Sainte-Agathe 4a
Chicoutimi 3b	Paspébiac 4a	Sainte-Anne-des-Monts 4a
Cowansville 4b	Pierrefonds 5b	Sainte-Foy. 4b
Dolbeau 3a	Pintendre 4b	Sainte-Marie-de-Beauce 4a
Drummondville. 5a	Pointe-Claire. 5b	Sainte-Thérèse 5a
Gaspé 4a	Prévost 4b	Sept-Îles 3a
Granby 4b	Québec 4b	Shawinigan. 4a
Grand-Mère 4b	Repentigny 5b	Sherbrooke 4b
Hull. 5a	Rimouski 3b	Sorel 5a
Huntingdon 5a	Roberval 3b	Tadoussac 4a
Joliette. 3b	Rock Forest 4b	Témiscamingue 3a
Jonquière 3b	Rouyn 2a	Terrebonne 5b
Lachine 5b	Saint-Bruno 5b	Trois-Rivières 4b
Lachute 5a	Saint-Eustache 5a	Val David 4a
Lac Etchemin 4a	Saint-Félicien 3b	Val d'Or. 2a
Lac Mégantic. 4a	Saint-Georges-de-Beauce 4a	Valleyfield 5a
La Pocatière 4a	Saint-Hubert. 5b	Varennes 5a
La Prairie. 5a	Saint-Hyacinthe 4b	Vaudreuil 5b
La Tuque 3a	Saint-Jean-Port-Joli. 4a	Victoriaville. 4b
Laval 5b	Saint-Lambert. 5b	Ville-Marie 3a
Lévis 4b	Saint-Laurent 5b	
Maniwaki 3b	Saint-Luc. 5b	

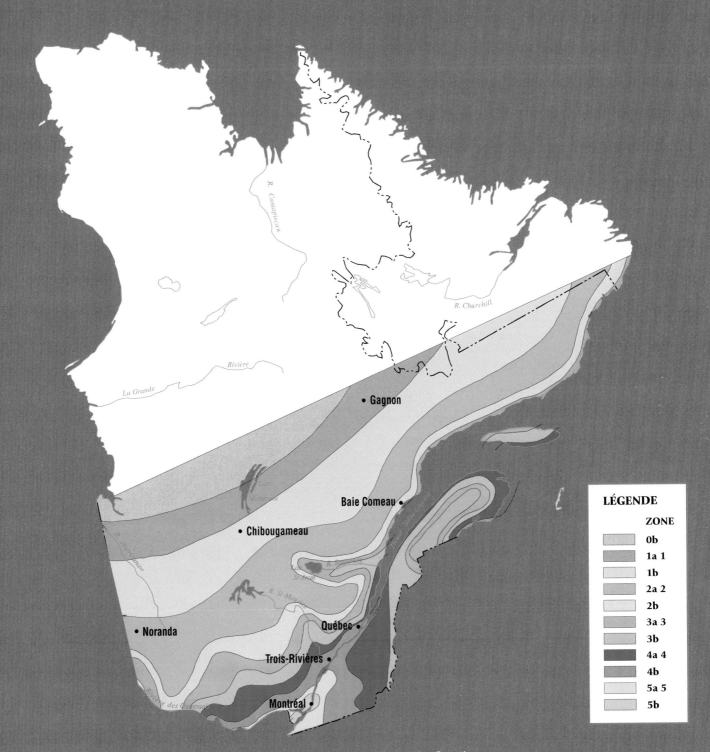

LÉGENDE

ZONE

	0b
	1a 1
	1b
	2a 2
	2b
	3a 3
	3b
	4a 4
	4b
	5a 5
	5b

Source : « Carte de zones de rusticité des plantes au Canada », Agriculture et Agroalimentaire Canada.

Mesurez la lumière disponible

La lumière est le principal facteur à considérer dans la planification d'un jardin écologique. Elle varie selon l'heure de la journée, la saison et les obstacles tels que les arbres et les édifices. Calculez-la avec précision et économisez temps, énergie, plantes et... sous !

1 Vers le 30 avril, repérez l'endroit qui vous donne la meilleure vue d'ensemble du terrain à aménager. Les ombres créées à cette période de l'année par l'angle des rayons du soleil représentent la moyenne des ombres de la saison de jardinage.

Choisissez une journée ensoleillée. À partir de cet endroit, du lever au coucher du soleil, prenez 10 photographies (une par heure) de votre terrain.

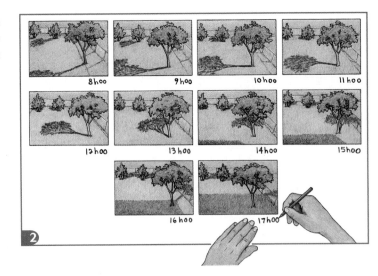

2 Par ordre chronologique, disposez les photos de gauche à droite et indiquez sous chacune d'elles l'heure de la journée qui y correspond.

3 Déterminez un point précis pour lequel vous voulez calculer le nombre d'heures d'ensoleillement. Observez et notez si la parcelle est éclairée sur chaque photo.

Additionnez ensuite les heures d'ensoleillement pour cet endroit.

Répétez cette méthode pour toutes les parcelles que vous voulez aménager.

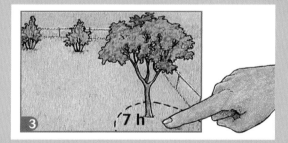

4 Dressez la carte des heures d'ensoleillement pour l'ensemble du terrain.

À partir de cette carte, choisissez judicieusement les plantes qui conviennent aux conditions d'éclairage de chacune des parcelles de votre aménagement. C'est la meilleure façon de planter la bonne plante au bon endroit!

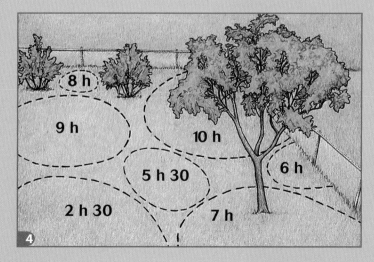

Étudiez votre terrain

Votre jardin fait partie d'un paysage. Observez le milieu qui vous entoure avant de poser des gestes et de faire des plans. C'est la clé du succès d'un jardin harmonieusement intégré à son environnement.

1 Identifiez les zones humides, propices à la culture de végétaux tels que le céleri, le cresson, le carex, le céleri-rave, la fougère, l'iris, la ligulaire, la menthe, la quenouille et la lobélie.

2 Notez les zones sèches souvent exposées au soleil. Certaines plantes aiment ces conditions de chaleur et de sécheresse : les herbes de Provence comme la lavande, la mélisse, l'origan, le thym, la sauge, la rue et le romarin, ou encore les plantes désertiques comme les sedums et les cactus.

3 Repérez les zones venteuses de votre terrain. Le vent a tendance à assécher le sol et à le refroidir de 1 à 2 °C. Protégez ces zones en dressant un brise-vent (voir page 54). Plantez-y des végétaux à racines profondes, capables de puiser l'humidité du sol, comme les ombellifères (carotte, cerfeuil, persil, angélique, etc.), ou encore des plantes alpines qui tolèrent la sécheresse.

4 Observez les pentes de votre terrain qui causent le ruissellement de l'eau et la perte de fertilisants. En haut d'une pente, le sol est souvent plus sec. En bas, il a tendance à se gorger d'eau, ce qui nuit à son aération. Créez des paliers pour contourner cette situation.

5 Identifiez les conifères tels que le pin, le sapin, l'épinette et le mélèze présents sur votre terrain ou en bordure de celui-ci. Leurs aiguilles acidifient le sol lorsqu'elles tombent. Plantez à leurs côtés des végétaux qui aiment l'acidité comme le sureau, le rumex oseille, les plantes de la famille des éricacées (le bleuet, le rhododendron et l'azalée), le genévrier commun, le thym, l'arnica et la digitale. Évitez toute plantation sous les conifères à branches basses et denses.

6 Localisez les arbres feuillus, comme le chêne, l'érable, le bouleau et le sorbier. Laissez les feuilles tombées à l'automne couvrir leurs racines : vous encouragez ainsi la formation d'humus favorable à la croissance des plantes adaptées aux sous-bois de feuillus. Par exemple, la sanguinaire, l'asaret du Canada, la violette, le muguet, le phlox, l'ancolie du Canada, l'hépatique et le trille.

7 Observez les haies en bordure de votre terrain. Souvent, elles font de l'ombre et tirent les minéraux et l'eau du sol. Il est donc inutile de faire pousser des plantes à leur pied. Utilisez plutôt des jardinières remplies de terreau riche pour cultiver des végétaux d'ombre.

8 Prenez garde aux racines des arbres du voisinage qui envahissent votre terrain : elles assèchent le sol et en dérobent les éléments nutritifs. Pour contrer ce problème, créez une plate-bande surélevée et plantez-y des végétaux peu exigeants, comme le millepertuis, l'onagre, la camomille, la lavande, la marjolaine et la sarriette d'hiver.

Faites faire une analyse de sol

Vous voulez être certain de fertiliser adéquatement votre sol pour obtenir des légumes en santé ? Avant de commencer à jardiner, faites d'abord analyser votre sol. Répétez l'opération après 3 années de culture.

Comment procéder

1 Prélevez des échantillons. Tôt à l'automne, creusez ici et là dans votre potager 4 trous de 5, 10, 15 et 20 cm de profondeur. Prélevez au fond de chaque trou une couche de terre de 1,5 cm. Mélangez ces 4 échantillons dans un bol et transvidez-en 250 ml dans un sac à congélation de 1 litre. Répétez l'opération pour vos plates-bandes de fleurs, vos massifs de petits fruits et vos zones d'arbres fruitiers.

2 Identifiez chacun des échantillons selon qu'il provient d'une parcelle de terrain vouée à la culture des légumes, des fleurs, des fruits ou des petits fruits. Comme les exigences en fertilisants varient pour chaque groupe de végétaux, les recommandations figurant sur l'analyse de sol seront différentes. Apportez ou expédiez les échantillons à un centre de jardinage qui offre ce service (voir page 23).

Comment lire une analyse de sol

RAPPORT D'ANALYSE DE SOL

① Type de sol : sablonneux   No d'échantillon : 4384
Analyse pour jardin   Date : 2 septembre

② pH :   7,8   très alcalin

③ Azote assimilable (N) :   180 ppm   riche

④ Phosphore (P) :   108 ppm   très riche

⑤ Potassium (K) :   23 ppm   très faible ; carence en potassium

⑥ **RECOMMANDATIONS**

*Ajoutez 1,2 kg de sulfate par 10 m² de terrain pour abaisser l'alcalinité du sol.
Consultez votre centre de jardinage pour de plus amples informations.

*Le potassium est en faible quantité et une carence peut amener des pertes de vitalité dans vos cultures.

① **Le type de sol**

Certains laboratoires précisent d'emblée le type de sol: sablonneux, argileux ou limoneux (voir page 24). D'autres le font uniquement sur demande.

② **Le pH**

indique si votre sol est acide ou alcalin. Plus le pH est faible, plus le sol est acide. Plus le pH est élevé, plus le sol est alcalin. L'échelle du pH se lit comme suit:

+++ alcalin	neutre	+++ acide

| pH 9 | pH 8 | pH 7 | pH 6 | pH 5 | pH 4 |

Pour la plupart des végétaux, on recherche un pH d'environ 6,5. Un sol trop acide ou trop alcalin empêche les plantes de se nourrir adéquatement. Quelques exceptions: les rhododendrons, les azalées, les plantes de tourbière et quelques plantes alpines telles que l'arnica prospèrent en sol acide.

③ **L'azote (N)**

favorise la croissance des tiges et des feuilles, la partie verte des végétaux. Trop d'azote produit des légumes gorgés d'eau, diminue leur saveur et leur résistance aux ravageurs et retarde le mûrissement des fruits. Au contraire, un manque d'azote se traduit par des plants chétifs, verdâtres ou jaunâtres.

④ **Le phosphore (P)**

est un élément indispensable au développement des racines, des radicelles, des fleurs, des fruits et des graines. Il participe à la photosynthèse. Il aide à la maturation de la plante plus qu'à sa croissance. La plante assimile mieux le phosphore lorsque le pH est d'environ 6,5. Cet élément augmente la résistance au froid et aux maladies. Les feuilles d'une plante en manque de phosphore tournent au violet, particulièrement leur dessous.

LES ÉLÉMENTS MAJEURS

Les éléments majeurs (N-P-K) sont les éléments essentiels à la croissance des végétaux. On distingue l'azote (N), le phosphore (P) et le potassium (K). Leurs concentrations sont indiquées sur les sacs d'engrais. Par exemple, 10-5-10 signifie 10 % d'azote, 5 % de phosphore et 10 % de potassium.

LES ÉLÉMENTS SECONDAIRES

Le calcium (Ca)

joue un rôle important dans la division cellulaire, stimule la transpiration et favorise la croissance des jeunes racines. Il est en général présent en quantité suffisante dans les sols québécois. Un manque de calcium se traduit souvent par le fendillement ou la pourriture apicale (dessous du fruit) des tomates et des poivrons. En cas de carence, ajoutez de la chaux ou du gypse selon les recommandations du fabricant.

Le magnésium (Mg)

est un des constituants de la chlorophylle et il est essentiel à la croissance des végétaux, notamment pour l'assimilation du phosphore. Les symptômes de carence en magnésium: un jaunissement marbré de vert sur les vieilles feuilles d'abord; les nervures restent vertes, mais la pointe et le bord des feuilles sont recourbés. Si cela se produit, appliquez du sul-po-mag, du sel d'Epsom ou de la chaux dolomitique selon les prescriptions du fabricant.

Le soufre (S)

entre dans la composition de nombreuses protéines et vitamines. Les carences en soufre sont extrêmement rares dans notre climat, parce qu'on en reçoit d'importantes quantités sous forme de précipitations acides.

LES OLIGOÉLÉMENTS

Essentiels à la vie, les oligoéléments sont présents à l'état naturel en infime quantité dans le sol et les plantes. Leur action est très complexe. Le bore (B), le manganèse (Mn), le molybdène (Mo), le fer (Fe) et le cuivre (Cu) en font partie. En cas de carence en bore, une situation fréquente au Québec dans les sols sablonneux, ajoutez de l'acide borique ou du borax selon les recommandations du fabricant. Pour fournir aux plantes les autres oligoéléments, utilisez du compost et des émulsions d'algues ou de poisson (voir page 83).

⑤ Le potassium (K)

est lié à la photosynthèse, à la floraison, à la fructification et au développement des racines. Il régit l'absorption des oligoéléments (voir ci-contre). Il donne de la vigueur aux végétaux, qui résistent ainsi mieux aux maladies. Il est indispensable aux légumes racines comme le radis et la carotte. Un manque de potassium se traduit souvent par le jaunissement de l'extrémité de la feuille, qui conduit au brunissement de toute la feuille. Par contre, trop de potassium nuit à l'absorption du magnésium et à l'équilibre chimique de la plante.

⑥ Les recommandations

sont habituellement données pour une surface de 10 m². Les produits conseillés ne sont pas toujours écologiques: vous devez alors adapter les recommandations en fonction des fertilisants et des amendements écologiques (voir page 82). Demandez conseil à votre centre de jardinage et suivez les indications du fabricant.

Si, après avoir suivi les indications découlant de votre analyse de sol, vous constatez encore des anomalies dans la croissance des végétaux, les éléments secondaires ou les oligoéléments peuvent être en cause. Faites analyser le calcium, le magnésium, le soufre et les oligoéléments.

Où faire analyser son sol?

Certains centres de jardinage, pépinières et laboratoires privés offrent un service d'analyse de sol; donnez quelques coups de fil avant d'arrêter votre choix. Consultez les Pages Jaunes sous les rubriques «Pépinières» et «Laboratoires d'analyses et d'essais». Enfin, vérifiez si l'école d'agronomie de votre région fait de telles analyses. Une analyse (pH, azote, phosphore et potassium) accompagnée de recommandations de fertilisation coûte quelque 20 $. Pour près de la moitié du prix, vous pouvez faire analyser le pH seulement. Les résultats vous sont postés, télécopiés ou courriellés de 1 à 2 semaines plus tard.

Identifiez votre type de sol

La grosseur des particules minérales est l'élément déterminant de la texture de votre sol. Apprenez à distinguer les types de sol, puisque chaque plante a ses préférences. Vous économiserez ainsi temps et argent.

La méthode du « cigare »

Prenez une poignée de terre humide et essayez de former un « cigare » en la roulant entre vos mains. À partir des photographies et des descriptions suivantes, identifiez votre type de sol.

1 **Le sol sablonneux** est constitué de particules dont le diamètre est de 0,06 à 2 mm, visibles à l'œil nu. Il est très difficile de former un « cigare » avec du sable, qui a plutôt tendance à se défaire. Le sable retient peu l'eau, est rude et granuleux. Travaillé adéquatement, il peut devenir très productif (voir page 28).

2 **Le sol limoneux** est fait de particules dont le diamètre est de 0,002 à 0,06 mm, visibles au microscope. Si le « cigare » est bien formé, mais qu'il casse lorsque vous essayez de le plier, c'est du limon. Pressez cette terre entre le pouce et l'index et sentez sa texture douce et savonneuse. Le limon absorbe moins l'eau que l'argile. Sec, il devient poudreux. On le travaille comme l'argile (voir page 26).

3 **Le sol argileux** est constitué de particules d'un diamètre inférieur à 0,002 mm, visibles uniquement au microscope électronique. Si le « cigare » demeure flexible et que la terre, une fois imbibée, retient l'eau, c'est de l'argile. On reconnaît l'argile sèche à ses mottes très dures, difficiles à défaire. Le sol argileux, une fois bien travaillé, constitue une terre des plus riches (voir page 26).

Une fois que vous connaissez votre type de sol, vous êtes en mesure de le travailler adéquatement. C'est ce qu'expliquent les prochaines fiches.

4 **La terre franche, ou loam**, se compose de sable, de limon et d'argile en proportions à peu près égales. Le terme «terre franche» désigne tout simplement une bonne terre dans laquelle on peut faire pousser à peu près tous les végétaux.

5 **La terre noire** constitue une classe à part. Il y a peu de terres noires dans les régions agricoles du Québec. Elles se caractérisent par un sol spongieux et noir. Ces terres retiennent l'eau et sont souvent très acides, mais il est possible de les cultiver en les travaillant adéquatement (voir page 30).

Comment cultiver un sol argileux ou limoneux

Le sol argileux ou limoneux retient bien les minéraux essentiels aux plantes. Cependant, il a tendance à se gorger d'eau et à durcir lorsqu'il sèche. Sept conseils pour le rendre meuble et productif.

1 Bêchez le sol à l'automne de façon superficielle pour éviter de mélanger la partie profonde et glaiseuse à la couche de surface riche en humus. Ne compactez pas le sol en le piétinant. Quant aux mottes créées par le bêchage, le gel les effritera.

2 Ajoutez du gypse au printemps dans l'argile si elle est alcaline, à raison de 1 kg par m^2 afin d'empêcher la formation de mottes dures. Si l'argile est acide, incorporez plutôt 100 g de chaux agricole par m^2 de sol. Enfin, pour un bon drainage et une meilleure pénétration des racines, mélangez au sol 2 cm de sable.

3 Incorporez de la matière organique au printemps sous forme de compost bien décomposé dans les premiers centimètres du sol. Elle le fertilise, en améliore le drainage et facilite l'aération et la pénétration des racines. De plus, elle stimule la vie des organismes du sol.

4 Surveillez le pH au printemps ou à l'automne, puisqu'un sol argileux a tendance à être plus alcalin (voir page 21). Pour l'acidifier, épandez des aiguilles de pin, des feuilles de chêne bien décomposées ou du compost. S'il est trop acide, ajoutez de la chaux agricole selon les recommandations du fabricant.

5

6

7

5 Façonnez des plates-bandes surélevées d'environ 25 cm qui assureront un bon drainage. En général, elles mesurent 1 m de largeur, ce qui permet de travailler tout autour sans piétiner l'aire de culture. Tracez des sentiers permanents pour ne pas compacter le sol cultivé.

6 Utilisez un paillis d'écales de sarrasin (voir page 46) pour limiter l'évaporation de l'eau du sol. De plus, comme la surface des écales demeure sèche et légèrement abrasive, vous éloignez les limaces. Les autres paillis favorisent la prolifération de ces gastéropodes.

7 Cultivez des engrais verts (voir page 78) aussitôt que des parcelles du potager se dénudent. Ils aèrent le sol et aident à l'évaporation du surplus d'eau après des pluies abondantes. Ils réduisent aussi le compactage du sol.

Pour aménager vos plates-bandes, choisissez des plantes adaptées au sol argileux ou limoneux, comme la rose, l'hépatique, le lierre, la symphorine, le mahonia, le poireau, le chou, la courgette, le framboisier, le groseillier, le prunier et le cassis.

Comment cultiver un sol sablonneux

Le sol sablonneux laisse pénétrer les racines des plantes en profondeur, assure un bon drainage et se réchauffe rapidement au printemps. Le hic : il retient mal l'eau et les éléments nutritifs. Pour surmonter ces difficultés, voici sept trucs efficaces.

1 Travaillez le sol au printemps. Juste avant la plantation, bêchez superficiellement votre sol à la fourche. S'il est effectué longtemps avant les semis, le travail du sol entraîne la perte des éléments nutritifs, qui sont lessivés par les pluies vers la nappe phréatique.

2 Ajoutez de la matière organique. Sous forme de compost, la matière organique aide à retenir l'eau et les éléments nutritifs. Incorporez-la en surface, puisqu'elle a tendance à pénétrer rapidement ce sol peu compact.

3 Épandez 3 cm d'argile à l'automne, idéalement de la bentonite en poudre en vente chez les fournisseurs de matériel pour les céramistes. Avec l'aide des organismes du sol, l'argile se combine au sable et à la matière organique pour former l'humus qui contient les minéraux nécessaires à la croissance des végétaux.

4 Ne surélevez pas vos aires de jardinage comme on le fait en terrain argileux (voir page 26). Vous préviendrez ainsi l'érosion et l'assèchement excessif du sol sablonneux. Les paillis (voir page 46) sont également efficaces pour retarder l'évaporation de l'eau du sol.

5 Utilisez des engrais verts (voir page 78). Ils fournissent au sol de la matière organique, des éléments nutritifs, et ils stimulent la vie du sol. Le seigle, l'avoine et l'orge sont recommandés, car ils empêchent les pluies automnales et le dégel printanier d'éroder le sol.

6 Surveillez le pH. Le sol sablonneux perd souvent du calcium à cause de sa perméabilité et il devient alors acide. Si votre analyse de sol révèle un pH trop acide (voir page 20), ajoutez de la chaux dolomitique ou de la chaux agricole selon les recommandations du fabricant.

7 Choisissez des plantes de sol sablonneux. Pour les fleurs : l'achillée, l'aubriète, le géranium et le sedum. Pour les arbustes : le millepertuis, le cotonéaster et le chalef. Comme légumes : la carotte, le panais, la pomme de terre, l'asperge, l'ail, l'oignon, le haricot et la tomate.

Le sol sablonneux peut vous donner des résultats spectaculaires sans que vous ne dépensiez une énergie folle : une fois bien amendé, il demeure facile à travailler.

Comment cultiver la terre noire

Certains d'entre nous peuvent avoir à jardiner en terre noire, bien que ce type de sol soit plus rare que les autres. Même si elle est souvent trop acide et saturée d'eau, il est possible de la travailler pour obtenir d'excellents résultats. Une méthode en sept étapes.

1 Bêchez le sol dès qu'il est ressuyé au printemps afin de briser la croûte qui s'est formée par compactage. Défaites à la main les mottes de matière organique.

2 Ajoutez à la terre du sable grossier à raison de 20 litres par m² pour en faciliter le drainage : la terre noire a souvent tendance à trop absorber d'eau.

3 Incorporez de l'argile à raison de 10 litres par m². L'argile, avec le travail des organismes du sol, aide à retenir les minéraux et les rend disponibles aux plantes durant de longues périodes.

4 Amendez la terre à l'aide de coquilles d'œufs ou de chaux dolomitique selon votre analyse de sol (voir page 20). La terre noire est souvent acide ; ces amendements diminuent le taux d'acidité, ce qui favorise l'assimilation des éléments nutritifs par les légumes.

5 Façonnez des plates-bandes en surélevant les aires de jardinage d'environ 20 cm. Laissez un espace suffisant entre chaque planche ou lit de semences pour pouvoir circuler avec la brouette. Les planches assurent un bon drainage et évitent le piétinement, donc le compactage des plates-bandes.

Trèfle blanc (*Trifolium repens*)

6 Paillez pour prévenir la sécheresse. La terre noire se réchauffe rapidement et peut s'assécher dans certaines conditions. Une fois sèche, elle est longue à s'humidifier de nouveau. Épandez de la paille autour des plants qui ont besoin de beaucoup d'eau.

7 Cultivez des engrais verts, tels que le trèfle, le seigle ou la féverole (voir page 78). Ils améliorent le drainage par leurs racines. La terre noire demeure alors humide sans être gorgée d'eau.

Dans une terre noire bien amendée, vous pouvez faire pousser facilement du céleri, du chou, de la laitue, du chou-fleur, du brocoli, de l'épinard, du poireau, du radis, des carottes et des oignons.

La rotation des cultures

La rotation des cultures consiste à cultiver successivement, d'année en année, sur une même surface, des plantes aux caractéristiques et aux exigences différentes. Cette méthode offre plusieurs avantages. Essayez cette façon toute simple de la pratiquer.

PARCELLE I •
LES VÉGÉTAUX EXIGEANTS
Artichaut, aubergine, betterave, céleri, concombre, courge, maïs, tomate

PARCELLE II •
LES VÉGÉTAUX MOYENNEMENT EXIGEANTS
Ail, bette à carde, brocoli, chou d'automne, laitue, navet, poireau, radis

PARCELLE III •
LES VÉGÉTAUX PEU EXIGEANTS
Carotte, épinard, haricot, oignon, pois, poivron

ⓐ Faites faire une analyse de sol tôt à l'automne (voir page 20).

ⓑ Fertilisez votre jardin selon les résultats de l'analyse.

ⓒ Identifiez les besoins nutritifs des végétaux que vous désirez cultiver et regroupez-les dans des parcelles différentes (voir exemple ci-contre).

ⓓ Faites se succéder les végétaux pendant trois années dans chacune des parcelles (les flèches indiquent le sens de la rotation — voir étapes 1-2-3).

1 La 1ʳᵉ année, cultivez les végétaux exigeants dans la parcelle I, les moyennement exigeants dans la parcelle II et les végétaux peu exigeants dans la parcelle III.

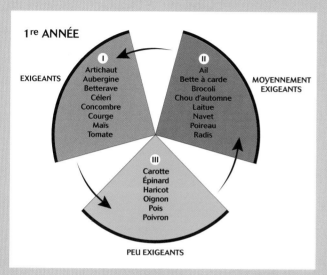

2 La 2ᵉ année, cultivez les végétaux exigeants dans la parcelle III, les moyennement exigeants dans la parcelle I et les végétaux peu exigeants dans la parcelle II.

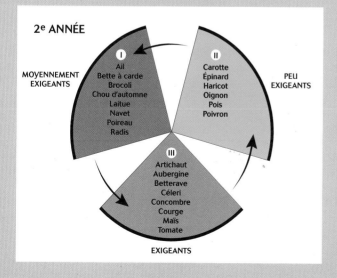

Quelques avantages de la rotation des cultures

La rotation des cultures a le grand avantage de préserver la fertilité de votre sol. Par exemple, les plantes peu exigeantes comme les haricots et les pois fournissent de l'azote et conditionnent le sol. Les légumes exigeants en azote qui seront ensuite cultivés dans cette parcelle en profiteront. De plus, en faisant se succéder des légumes comme les carottes, qui puisent leurs éléments nutritifs en profondeur, et d'autres comme les laitues, qui se nourrissent en surface, vous exploitez toute la couche fertile du sol. Enfin, la rotation des cultures diminue le nombre de maladies transmises par le sol et elle réduit les besoins de travail de la terre.

3 La 3ᵉ année, complétez le cycle : les végétaux exigeants dans la parcelle II, les moyennement exigeants dans la parcelle III et les végétaux peu exigeants dans la parcelle I.

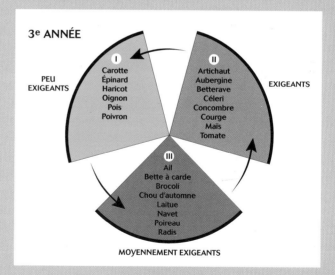

Au printemps de la 4ᵉ année, avant de planter les légumes exigeants dans la parcelle I, faites faire une analyse de sol pour évaluer la fertilité de chacune des trois parcelles. Fertilisez et recommencez le cycle de rotation à moins que des maladies, comme la hernie des crucifères ou le charbon du maïs, n'aient ravagé vos plants l'année précédente. Attendez alors sept ans avant de cultiver ces plantes à nouveau.

Le plan de jardin écologique

Un plan de jardin est toujours utile, même si, une fois sur le terrain, vous ne le suivez pas précisément. Quelques conseils pour le réaliser.

Faites le portrait de la situation actuelle

1. Mesurez les quatre côtés de votre terrain.

2. Vérifiez sur votre certificat de localisation, ou auprès de votre propriétaire, les droits de passage des entreprises de services publics.

3. Situez les points cardinaux.

4. Sur une feuille de papier quadrillé, précisez votre échelle. Ex. : 1 carré = 1 m

5. Localisez et dessinez à l'échelle les éléments existants : les bâtiments, les arbres et les arbustes, les vivaces, les points d'eau, la terrasse, les clôtures, le gazon, la fosse septique, les lignes électriques aériennes, les câbles électriques et les tuyaux souterrains, etc. Cette étape vous aide à déterminer ce que vous désirez conserver ou modifier de l'aménagement existant.

6. Pour chaque parcelle de terrain, indiquez le nombre d'heures d'ensoleillement d'après le calcul effectué précédemment (voir page 16). Cette étape guide votre choix de végétaux.

7. Identifiez les sentiers actuels. Observez le piétinement. Surveillez les déplacements vers la compostière, les points d'eau, le garage, la remise, la rue et le voisinage. Cette étape vous permet de situer les sentiers permanents.

8. Transcrivez les informations recueillies lors de l'étude de votre terrain (voir page 18) : pentes, zones humides, sèches ou venteuses, arbres, arbustes, milieux acides, etc.

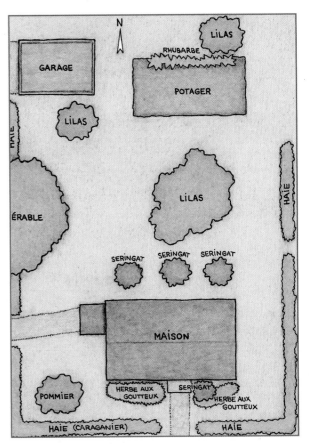

Dessinez votre plan définitif

Ayez toujours en tête les buts de votre aménagement: une aire de récréation, une oasis de paix, un jardin intensif autosuffisant, un jardin sauvage ou ornemental, etc.

À partir de ces données, positionnez sur le plan les éléments suivants:

- ✔ ce que vous conservez de l'aménagement en place;
- ✔ les points d'approvisionnement en eau;
- ✔ la compostière;
- ✔ la remise à outils;
- ✔ les sentiers permanents, en accordant une importance particulière à l'allée principale empruntée par les visiteurs;
- ✔ les plantes indigènes, comme l'achillée mille-feuille et la fougère à l'autruche;
- ✔ les arbres qui jouent un rôle prédominant dans l'aménagement;
- ✔ les arbres fruitiers et les petits fruits;
- ✔ les légumes vivaces, comme le cresson de fontaine, l'asperge et l'oseille;
- ✔ le potager pour les légumes annuels;
- ✔ les fleurs annuelles et les vivaces selon la lumière (voir page 16), l'étude de votre terrain (voir page 18) et votre zone de rusticité (voir page 14);
- ✔ les arbustes et les haies;
- ✔ le jardin d'eau;
- ✔ les fines herbes;
- ✔ les plantes à bulbe, comme les tulipes, les jacinthes et les muscaris;
- ✔ les treillis et les plantes hautes, habituellement situés au nord du terrain pour qu'ils n'ombragent pas les plantes voisines;

- ✔ les murets;
- ✔ les aires de repos, comme la terrasse et les bancs;
- ✔ les abris pour les oiseaux, les amphibiens, les chauves-souris (voir page 118) et les insectes (voir page 94);
- ✔ la serre ou la couche froide pour allonger la saison (voir page 52).

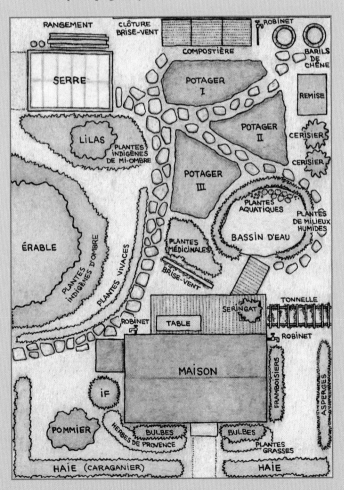

Planifiez les travaux

Une fois que vous avez choisi et localisé les éléments que vous désirez pour votre aménagement, vous avez en main un plan d'ensemble. Maintenant, il est nécessaire de planifier les travaux tout en évaluant les coûts des matériaux et de la main-d'œuvre. Voici quelques conseils quant à la séquence des travaux:

1. Commencez par les travaux qui exigent une excavation: la plantation d'arbres et d'arbustes, l'aménagement du jardin d'eau, la construction de bâtiments comme la serre, l'approvisionnement en eau, l'enfouissement ou le déplacement de câbles électriques et de tuyaux.

2. Réalisez ensuite les constructions hors terre: les murets, la terrasse, les bancs, les aires de jeux, la compostière, la remise, les clôtures, les treillis et les sentiers permanents.

3. Plantez les végétaux: les plates-bandes de fleurs vivaces et d'annuelles, le potager, les fines herbes et les plantes à bulbe.

4. Gazonnez les espaces prévus.

5. Construisez et installez les abris pour la faune.

Il ne vous reste plus qu'à laisser la nature parfaire votre aménagement.

Soyez...

- réaliste! Fixez-vous un budget maximal et répartissez-le sur quelques années. Informez-vous de l'espacement requis entre les végétaux à maturité. Vous éviterez ainsi d'acheter des plants inutilement.

- patient! Il faut attendre au moins deux ans avant que l'aménagement ne commence à produire ses effets. N'hésitez pas à demander conseil à des experts en aménagement paysager. Suivez des cours offerts par des maisons d'enseignement ou des organismes spécialisés en horticulture.

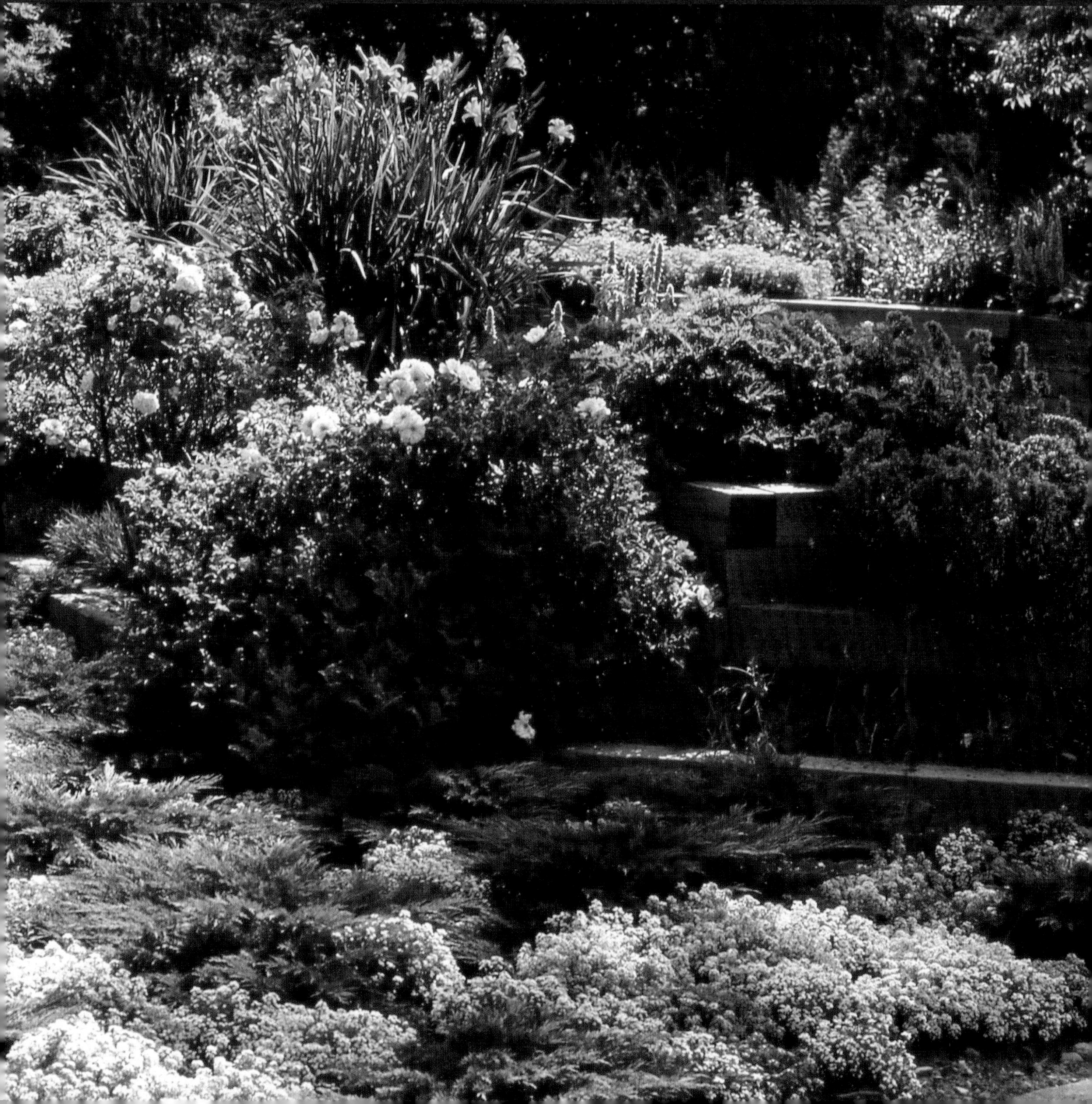

Chapitre 2
Organisez votre jardin

Le jardinier écologique s'efforce de réduire les dépenses d'énergie et particulièrement l'usage d'outils bruyants et à essence. Il exerce aussi des choix judicieux au moment de l'achat de ses accessoires en recherchant des produits durables. Il utilise également des méthodes de remplacement aux pesticides de synthèse, puisque plusieurs sont dangereux pour la santé et pour l'environnement. Vous trouverez dans ce chapitre des informations de base pour organiser votre jardin de façon écologique.

Pour un gazon sans pollution

Plusieurs méthodes de culture et d'entretien des pelouses posent des problèmes environnementaux. Les principaux accusés : les pesticides de synthèse qu'on y épand abondamment, notamment les insecticides, les herbicides et les fongicides. Par exemple, certains insecticides utilisés pour éliminer les insectes nuisibles des pelouses, comme le diazinon, le chlorpyrifos, le malathion et le pholasone, peuvent entraîner chez certaines personnes des tremblements divers et une perte de contrôle musculaire irréversible. Un bon conseil : lisez attentivement les étiquettes et les mises en garde du fabricant.

Par ailleurs, les tondeuses à essence posent aussi un problème de pollution dans les villes et les banlieues. Souvent, ces appareils sont vieux, mal réglés et laissent échapper dans l'air des résidus extrêmement polluants constitués d'un mélange d'huile et d'essence. Or, vous pouvez facilement maintenir votre gazon en santé par des méthodes écologiques éprouvées. C'est ce que nous vous proposons dans ce chapitre.

Des outils, des techniques et des plantes

Divers conseils vous permettront également de réduire l'utilisation de l'eau du robinet, une ressource rare et chère, de préserver l'humidité du sol et de prévenir la venue d'herbes indésirables. Enfin, nous vous livrons des trucs et des conseils pour l'achat et l'utilisation de certains outils et accessoires indispensables au jardinier.

Un réservoir d'eau écologique

Le vieux baril de chêne utilisé dans les distilleries constitue le contenant idéal pour stocker l'eau du jardin. Enlevez un des fonds du baril. Laissez-y séjourner l'eau du robinet afin de permettre au chlore de s'évaporer et à l'eau de se réchauffer à la température de l'air ambiant.  Arrosez de cette eau les plantes originaires des pays chauds, comme les poivrons, les maïs, les cannas et les bégonias. Elles développeront ainsi moins de maladies causées par le choc de l'eau froide, et leur croissance sera meilleure.

À l'automne, siphonnez l'eau du baril pour le vider, puis tournez-le à l'envers sur des blocs de bois ou de ciment. Ne laissez jamais d'eau dans le baril pendant l'hiver, car le gel risque de faire fendre les planches de chêne. Lors du remplissage printanier, ne paniquez pas si de l'eau fuit entre les planches. Comme le baril a séché un peu pendant l'hiver, il faut l'humidifier pour le rendre à nouveau étanche.

Si votre toit est recouvert de bardeaux d'asphalte, évitez d'utiliser l'eau de pluie provenant des gouttières. La chaleur du soleil et la pluie altèrent les bardeaux, qui peuvent laisser échapper des particules contenant des hydrocarbures aromatiques polycycliques (HAP), des substances toxiques pour l'être humain.

Adoucir et raccourcir l'hiver

Cette saison vient refroidir l'ardeur du jardinier, qui doit souvent se résigner à ranger très tôt ses outils. Nous vous donnons quelques trucs pour vous préparer à l'hiver. De plus, nous vous proposons des moyens pour profiter d'une saison de culture plus hâtive au printemps et plus tardive à l'automne. Vous augmentez ainsi vos récoltes de légumes biologiques. Nous insistons également sur la richesse que constituent vos feuilles d'automne pour le jardin.

Certaines municipalités se sont dotées de règlements qui limitent l'utilisation des pesticides à des fins environnementales. Vérifiez la politique relative aux pesticides auprès de votre municipalité.

L'eau, une ressource précieuse

Plus de la moitié de toute l'eau potable utilisée durant l'été sert à l'arrosage du gazon. Selon Environnement Canada, une pelouse de banlieue typique «peut nécessiter environ 100 000 litres d'eau pendant la saison». Évitez d'arroser en plein soleil, ce qui entraîne un gaspillage certain à cause de l'évaporation rapide. Le moment idéal pour arroser est le matin de bonne heure, une fois que la rosée a séché, ou en fin d'après-midi. Et si votre municipalité ne permet l'arrosage que certains jours à des heures précises, respectez le règlement.

Économisez l'eau

Le jardinage écologique a l'immense avantage de réduire l'utilisation de l'eau, une ressource rare et chère. Six façons d'économiser l'eau.

1 Binez le sol dès qu'il commence à former une croûte. Le binage défait les canaux creusés par les organismes du sol comme les vers de terre et ralentit ainsi l'évaporation. Il permet aussi à l'eau de pluie de mieux pénétrer dans le sol.

2 Posez un paillis organique près des racines des végétaux (voir page 46). Celui-ci permet à la pluie de pénétrer dans le sol. Il limite également l'évaporation de l'eau en réduisant le contact entre le sol et l'air sec ambiant.

3 Laissez le gazon plus long pendant les chaleurs de l'été afin qu'il fasse de l'ombre au sol. Coupez-le seulement lorsqu'il atteint 10 cm de hauteur. Le couvert végétal réduit aussi l'évaporation en isolant la terre de l'air sec ambiant.

4 Choisissez des végétaux adaptés aux conditions de sécheresse. Il est coûteux et inutile de faire pousser des plantes d'humidité là où le sol est très sec. Optez plutôt pour des herbes de Provence qui adorent les sols secs et chauds, comme la sauge, l'origan, le romarin et la lavande.

Fichez en sol, goulot tête première, des bouteilles en verre remplies d'eau. Installez-les près des racines des plantes. Comme l'eau s'écoulera lentement, vos végétaux auront leur réserve pour toute la journée.

5 Utilisez un tuyau microporeux qui laisse l'eau couler lentement et de façon continue. Branchez-le au robinet et faites-le courir au pied des végétaux qui nécessitent beaucoup d'eau. Vous pouvez laisser le robinet ouvert pendant de longues périodes, selon les besoins en eau de vos végétaux. Complétez cette installation en ajoutant une minuterie. On trouve ces tuyaux dans les quincailleries et les centres de jardinage au coût d'environ 15 $ pour 15 m.

6 Évitez d'éclabousser le sol partout autour des plants. Ôtez la pomme de l'arrosoir qui diffuse l'eau et concentrez l'arrosage près des racines. Ce faisant, vous limitez l'évaporation de l'eau.

Moins de gazon, plus de jardin

Enlever du gazon peut être une tâche fort laborieuse. Plutôt que de l'arracher, aménagez dessus une plate-bande riche en couleurs et en variétés. En 5 étapes, voici comment y parvenir sans vous éreinter !

1 Arrosez le gazon. L'arrosage favorisera la décomposition du gazon au cours des étapes subséquentes. Placez un verre près de l'arrosoir afin de mesurer la quantité d'eau reçue par le sol. Cessez d'arroser quand il y a environ 2,5 cm d'eau dans le verre.

2 Ajoutez de la paille. Épandez environ 10 cm de paille sur le gazon mouillé. Ce faisant, vous l'empêchez de pousser, puisque vous le privez de lumière. La paille facilite la décomposition de la partie verte du gazon.

3 Mettez du compost. Aussitôt la paille étendue, ajoutez-y environ 10 cm de compost moyennement décomposé. Les organismes vivant dans le compost accéléreront la décomposition de la paille, riche en carbone, et du gazon, riche en azote.

4 Ajoutez de la terre et des fertilisants. Étendez environ 20 cm de terre sur le compost et ajoutez-y les fertilisants appropriés au type de végétaux que vous planterez. Cette plate-bande semble très haute, mais elle se compactera à mesure que la matière organique se décomposera. À la fin du processus, elle fera à peu près 20 cm de haut.

5 Transplantez les végétaux dès que la terre et les fertilisants ont été ajoutés, et arrosez-les généreusement. Les plantes vivaces et annuelles croissent bien dans ce genre de plate-bande.

• Cette technique innovatrice est risquée pour installer un potager. En effet, la matière organique qui se décompose pendant la croissance de la plante peut en faire pourrir les racines.

• S'il y a du chiendent dans la pelouse, arrachez-le d'abord avant d'utiliser cette technique. C'est la seule façon de vous en débarrasser.

Tant à l'ombre qu'au soleil, cette technique produit des résultats tout à fait remarquables. Les éléments nutritifs présents dans le sol sont progressivement assimilés par les végétaux. L'année suivante, vous devrez rajeunir le sol en y ajoutant du compost.

Les paillis

Pour préserver l'eau du sol, décorer des plates-bandes, conditionner le sol et limiter la propagation d'herbes indésirables au jardin, les paillis organiques font merveille.

1 **L'écale de sarrasin** est intéressante parce qu'elle ne modifie pas le taux d'acidité du sol. Elle maintient la terre humide tout en demeurant rugueuse et sèche en surface, ce qui éloigne les limaces. De plus, elle conditionne le sol lorsqu'on l'enfouit à l'automne. Coût : 15 $ pour 3 pi³ (0,08 m³).

2 **La paille** sert à retarder l'évaporation de l'eau du sol et à protéger les végétaux du gel. Elle contient des éléments nutritifs et se dégrade rapidement au contact du sol humide. Votre jardin est envahi de limaces ? Renoncez à la paille, car elles s'y réfugient. Coût : de 5 à 10 $ par balle.

3 **L'écale de cacao** est très décorative. On l'emploie pour couvrir le pied des plants qui sont exposés au soleil et à la sécheresse. Évitez d'en épandre dans les zones sombres et humides du jardin puisqu'elle a tendance à développer des moisissures qui peuvent se propager aux plantes. Coût : 10 $ pour 2 pi³ (0,05 m³).

4 **Les écorces de pin** sont habituellement utilisées dans les massifs de végétaux qui aiment les sols acides. Évitez de les employer dans le potager, parce qu'elles acidifient le sol et empêchent la germination et la croissance des plantes. Coût : 21 $ pour 3 pi³ (0,08 m³).

5 **Les branches broyées** conviennent au pied des petits arbres feuillus, comme les arbres fruitiers. Elles se décomposent lentement et conditionnent le sol. Évitez les copeaux de résineux, parce qu'ils ont tendance à ralentir la croissance des végétaux. Le bois raméal fragmenté (extrémités broyées des branches) est riche en éléments nutritifs.

6 **Le compost** peut servir de paillis, qu'il soit peu, moyennement ou très décomposé. Il conserve le sol humide et il le nourrit au fur et à mesure qu'il se décompose au contact de l'humidité et du soleil. Coût : à partir de 3 $ pour 35 litres.

7 **Le paillis de cèdre ou de pruche** est composé de bois déchiqueté. Le paillis de cèdre n'acidifie pas le sol et convient bien aux plates-bandes de fleurs. Vous pouvez même vous en servir pour aménager un sentier (voir page 116). Coût : 10 $ pour 3 pi^3 (0,08 m^3).

Mis à part la paille et les branches broyées, tous ces paillis sont en vente dans les centres de jardinage. Pour la paille, surveillez les fêtes d'automne dans les marchés publics ou encore recherchez-la dans les fermes d'élevage. Une balle couvre environ 8 m^2 à raison de 2,5 cm d'épaisseur sur le sol autour des plants. Les branches broyées sont distribuées gratuitement par certaines municipalités. Communiquez avec votre hôtel de ville ou votre bureau d'arrondissement.

L'entretien écologique du gazon

Une pelouse ensoleillée constitue un terrain de jeux intéressant pour les enfants. Par son uniformité, le gazon permet également de mettre en valeur les aménagements. Sept conseils sur son entretien écologique.

1. Enlevez les débris végétaux au printemps et à l'automne quand le sol est bien égoutté. Ce faisant, vous enlevez aussi une partie du chaume (ou feutre), ces herbes séchées et jaunies qui nuisent à l'absorption de l'eau par les racines.

2. Aérez le gazon pour le maintenir en santé. Louez un aérateur de sol dans un centre de location d'outils au coût de 10 $/jour environ pour un appareil manuel et de 20 $/h pour un motorisé. Passez-le sur la pelouse pour faciliter la fertilisation et favoriser la pénétration de ses racines dans le sol.

3. Extirpez les herbes indésirables et envahissantes. Au printemps, quand le sol est meuble, retirez-les à l'aide d'un déplantoir. Comme vous n'utilisez pas de pesticides, joignez l'utile à l'agréable : savourez les feuilles de pissenlit en salade.

4. Ensemencez dès l'apparition de zones dénudées avec un mélange de terre, de compost mûr et de semences adaptées à vos conditions d'humidité et d'ensoleillement. Compactez légèrement le sol pour éviter le déplacement des semences en cas de pluie. Arrosez. Un gazon dense empêche la propagation des herbes indésirables.

5 Arrosez. Placez un verre d'eau par terre et arrosez jusqu'à ce qu'il y ait 2,5 cm d'eau dans le verre. Un arrosage hebdomadaire abondant est préférable à plusieurs petits arrosages. Pendant la saison chaude, c'est normal, le gazon croît plus lentement et jaunit. Ne l'arrosez pas inutilement!

6 Fertilisez. Au printemps, appliquez 1 cm de compost mûr sur le gazon. Épandez des engrais écologiques; vous en trouverez dans les centres de jardinage (voir page 82). Suivez les directives du fabricant.

7 Tondez. La tondeuse manuelle, peu bruyante, convient aux petites surfaces; la tondeuse électrique, aux grandes. Pendant la saison chaude, tondez le gazon lorsqu'il atteint 10 cm et, au printemps et à l'automne, 7 cm. Laissez les rognures de gazon sur la pelouse.

Les semences à gazon ne se conservent pas longtemps; ne vous procurez que la quantité nécessaire pour l'année. Si votre gazon est souvent piétiné, demandez un mélange qui contient de 50 à 80 % d'ivraie vivace ou *ray-grass* (*Lolium perenne*).

De bons contenants

Le matériau et la forme sont deux facteurs déterminants dans votre choix de contenants écologiques. Voici quelques suggestions.

1. **La jardinière en cèdre** a une espérance de vie de plus de 20 ans. À l'automne, enlevez-en toute trace de terre, lavez-la avec du savon et faites-la sécher au soleil. Ne laissez jamais de terre humide à l'intérieur pendant l'hiver, car le gel risque de la disjoindre.

2. **Le pot en terre cuite non peint et non émaillé** est très décoratif et s'intègre bien dans un jardin. Poreux, il laisse le terreau respirer et l'eau s'évaporer facilement, ce qui prévient le développement de champignons. De plus, il peut être recyclé : s'il se brise, vous pouvez en mettre les éclats au fond de pots ou de jardinières pour assurer le drainage.

3. **Le contenant rectangulaire ou carré** en terre cuite convient aux petits espaces urbains. Pour une même surface, il vous permet de cultiver plus de plantes que les pots ronds, puisque vous ne perdez pas d'espace entre les contenants.

4 **Le pot en terre cuite peint** constitue aussi un choix intéressant, parce qu'il est résistant et qu'il s'entretient bien. Assurez-vous que l'intérieur du pot est émaillé, sinon les pigments toxiques souvent présents dans les couleurs peuvent se dégrader dans des conditions d'humidité et contaminer votre terreau.

5 **Le contenant mural en terre cuite** est décoratif. Placé à la hauteur des yeux, il met en valeur des petits végétaux qui passent souvent inaperçus lorsqu'ils sont cultivés au sol.

6 **Le pot à fraisiers en terre cuite** convient aussi à la culture des fines herbes. En utilisant l'espace vertical, il permet de cultiver un assortiment d'herbes sur une très petite surface, comme un balcon. Surélevez-le du sol humide et évitez que d'autres plantes ne touchent aux fines herbes, car celles-ci sont sensibles aux maladies fongiques (dues aux champignons).

TRUC PRATIQUE

Pour dissoudre le calcium qui se dépose parfois sur les parois du pot en terre cuite, faites tremper le pot dans une solution de deux parties d'eau et d'une partie de vinaigre, puis brossez-le.

Allongez la saison de culture

Le climat du Québec limite la durée de notre saison de culture. Essayez des techniques qui permettent d'allonger de quelques semaines le plaisir du jardinage.

1 Utilisez la couche froide. Elle est constituée d'un cadre fait en bois, en ballots de paille ou en briques qu'on recouvre d'un couvercle vitré. La couche froide sert à démarrer les plants tôt au printemps. De plus, si vous enfouissez dans le sol des câbles chauffants qui maintiennent une température d'environ 21 °C, vous pouvez l'utiliser dès la fin de mars. Les plantes qui y pousseront profiteront de la lumière vive des mois d'avril, de mai et de juin.

2 Creusez des trous d'environ 45 cm de profondeur et de largeur dès que le sol peut se travailler au printemps. Couvrez-les d'une vitre pour laisser pénétrer et emprisonner les chauds rayons du soleil. Une fois la terre bien réchauffée, transplantez vos végétaux favoris et comblez les trous de terre au fur et à mesure de leur croissance. Vous devancerez ainsi la saison de culture d'environ trois semaines. Cette technique s'adapte bien aux plants de tomates (ci-contre) et de pommes de terre.

3 Déposez une bâche flottante sur les végétaux. Il s'agit d'un tissu très léger qu'on trouve dans les centres de jardinage, mais vous pouvez aussi recycler de vieux draps. Le tissu protège les cultures jusqu'à -2 °C. Évitez les pellicules plastiques ; elles sont beaucoup trop lourdes et elles communiquent plus facilement le gel quand elles touchent les plantes. Coût : 13 $ et plus selon les dimensions.

4 Arrosez dès qu'on annonce un risque de gel au sol. Le principe est simple : en raison de sa grande densité, l'eau se refroidit plus lentement que le sol, qui est plus poreux. Vous protégez ainsi votre jardin lorsque le mercure frôle 0 °C.

5 Entourez vos plants de tomates avec des sacs en papier dont vous avez ôté le fond. Enfoncez 3 bâtons dans le sol et disposez le sac autour. Les plants reçoivent la lumière tout en étant protégés du vent. De plus, vous créez un microclimat à l'intérieur du sac, ce qui retarde le refroidissement des plants la nuit venue. Placez 2 ou 3 litres d'eau en permanence autour du plant : le jour, l'eau des contenants se réchauffe et le soir, elle dégage sa chaleur.

6 Créez des brise-vent permanents qui, en réduisant la course des vents, augmentent la température d'environ 1 ou 2 °C. Ces brise-vent peuvent être des treillis sur lesquels grimpent de robustes plantes vivaces, comme le houblon. Ils peuvent également être constitués d'arbustes ou d'arbres alignés (voir page 54).

7 Construisez un abri temporaire en enfonçant dans le sol des arceaux en métal flexible. À l'aide de pinces à linge, fixez-y un tissu translucide, un vieux drap de coton par exemple. Cette installation résiste bien au vent. Si vous l'adossez à un mur orienté vers le sud, elle peut prolonger de quelques semaines la saison de culture. Lorsque la température descend sous 0 °C, placez des contenants remplis d'eau chaude dans l'abri, à la fin de la journée. L'eau dégagera la chaleur nécessaire pour protéger vos plantes du gel.

4

5

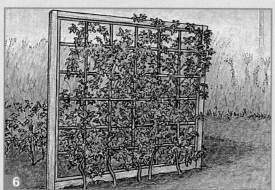

6

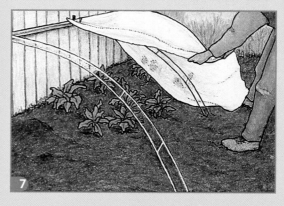

7

Installez un brise-vent efficace

Le jardin exposé aux grands vents subit un choc: la température de l'air ambiant baisse de 1 à 2 °C, et la terre s'assèche rapidement. Les jeunes plants sont déracinés, les semences s'envolent, la germination et la croissance ralentissent et les plantes se déshydratent. Pour diminuer ces effets négatifs, installez un brise-vent. Il vous sera aussi utile pour faire face aux vents violents qui accompagnent les tempêtes.

Le principe du brise-vent

1 Le brise-vent a pour but de ralentir la course du vent de 30 à 50 %, pas de l'arrêter. Il doit donc être poreux. Il produit un microclimat chaud propice à la culture. De plus, il favorise l'accumulation de neige qui isole les végétaux des grands froids hivernaux.

Au contraire, un brise-vent trop dense crée des poches d'air plus froid que l'air ambiant de 1 à 2 °C, ce qui augmente les risques de gel. En conséquence, évitez la haie de cèdres trop rapprochés, et la clôture ou le muret pleins.

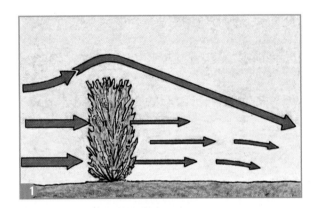

2 Orientez le brise-vent en identifiant les vents dominants de votre région. En général, les vents d'hiver arrivent du nord, ceux d'été, de l'ouest et du sud-ouest. Installez le brise-vent perpendiculairement à la direction du vent dominant. Par exemple, si vous désirez devancer la saison, atténuez la course des vents du nord en plaçant le brise-vent dans l'axe est-ouest. Si vous cherchez à freiner le vent en provenance de l'ouest pendant la saison estivale, aménagez le brise-vent dans l'axe nord-sud.

Déterminez la hauteur du brise-vent en sachant qu'il réduit la vitesse du vent sur une distance égale à 15 fois sa hauteur. Par exemple, pour freiner le vent sur un terrain d'une largeur de 15 m, un brise-vent de 1 m de hauteur suffit.

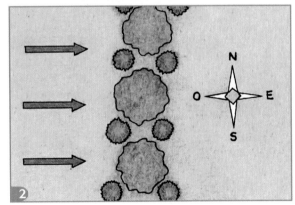

Choisissez votre brise-vent

✔ L'agencement d'arbres et d'arbustes convient bien aux grands jardins en plus de servir d'abri à la faune. Le brise-vent peut être constitué d'une ou de plusieurs rangées d'arbres ou d'arbustes. Le principe est simple: les arbres freinent le vent en hauteur et les arbustes, dans les zones basses. Pour un brise-vent permanent, choisissez de préférence des conifères à feuillage persistant comme le pin, l'épinette et le sapin. Comme les grands arbres diminuent la quantité de lumière disponible pour les arbustes, plantez à leur pied des espèces qui tolèrent la mi-ombre. Choisissez de préférence des végétaux indigènes adaptés à votre zone de rusticité (voir page 14) qui tolèrent les conditions froides et venteuses.

✔ La haie d'arbustes constitue un brise-vent naturel. Sur de petits terrains, il faut éviter les haies qui se développent en largeur, comme celle du sorbaria à feuilles de sorbier. Faites d'une pierre deux coups: plantez des haies dont les fruits attirent les oiseaux. Par exemple, le sumac vinaigrier lacinié, l'aulne crispé, le cornouiller stolonifère, la viorne à feuilles d'aulne, la viorne cassinoïde, etc.

✔ Des plantes sur treillis. Une solution intéressante pour la ville: le treillis sur lequel poussent des grimpantes annuelles ou vivaces. Ce type de construction occupe peu d'espace et s'adapte à toutes sortes de jardins. En plus d'ajouter des zones d'intimité au jardin de ville, les plantes sur treillis peuvent être décoratives et même comestibles. Le brise-vent est temporaire si vous y cultivez des annuelles et permanent si vous y faites grimper des vivaces.

✔ La clôture ajourée ou en treillis de bois est un brise-vent efficace qui occupe très peu de place. Pour que le vent puisse passer au travers, les ouvertures doivent occuper environ 50 % de sa surface. Choisissez du bois résistant à la pourriture, comme le cèdre ou le mélèze. Évitez les bois traités (voir page 100).

✔ Les annuelles hautes à croissance rapide servent de brise-vent temporaire pendant l'été et à la fin de la saison. Deux rangées de tournesols, quatre de maïs ou deux rangs de ricins tuteurés font bien l'affaire.

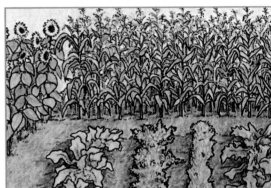

MISE EN GARDE

Au Québec, la construction de clôtures et l'installation de haies sont régies par les municipalités. Un permis est parfois exigé. Avant d'entreprendre les travaux, vérifiez les règlements à propos des hauteurs et des distances à respecter par rapport aux lignes du terrain. Communiquez avec votre hôtel de ville et avec Info Excavation (1 800 663-9228) pour connaître l'emplacement des conduites et des câbles souterrains.

DES VÉGÉTAUX BRISE-VENT

Arbres

amélanchier	sapin
épinette	sorbier
pin	tilleul

Arbustes

aulne	églantier	spirée
cerisier	framboisier	sumac
chèvrefeuille	groseillier	viorne
cornouiller	prunier	

Plantes grimpantes

Annuelles

canari	concombre	haricot
capucine	courge	thunbergie
cardinal	gloire du matin	vigne

Vivaces

aristoloche	groseillier de Sibérie	pois de senteur
bignone commune	hortensia	renouée du Turkestan
bourreau des arbres	houblon	rosier
chèvrefeuille	hydrangée grimpante	vigne
clématite	lierre	

Les feuilles d'automne

Les feuilles jouent un grand rôle dans le cycle naturel de la vie des arbres et des plantes. Les gérer de façon écologique aide à produire l'humus qui fait toute la différence au jardin. Six conseils pour en tirer le plus grand profit.

1. Abritez vos plantes. Les feuilles mortes constituent un excellent isolant contre le gel pour les plantes et les arbustes. À l'automne, couvrez de 30 cm de feuilles mortes les racines des vivaces et des arbustes.

2. Protégez vos prédateurs, dont les coccinelles, en laissant les feuilles d'automne sur le sol. Les insectes s'en serviront comme abri pour passer l'hiver et seront bien en forme le printemps venu pour dévorer rapidement les pucerons précoces !

3. Ôtez délicatement les feuilles lors du nettoyage des plates-bandes au début de l'été. Vous préservez ainsi les organismes vivants qui s'abritent sous les feuilles. Utilisez vos mains plutôt que le râteau à feuilles qui risque de les blesser.

4. Protégez vos plantes de la sécheresse. Laissez les feuilles mortes de l'automne au pied des plantes vivaces pour conserver l'humidité du sol lors des printemps chauds et secs. Les rayons du soleil n'atteignent pas le sol et la litière de feuilles mortes retarde l'évaporation de l'eau. Cependant, dans un jardin d'ombre, enlevez les feuilles mortes qui isolent le sol et le maintiennent froid plus longtemps.

5 Encouragez la formation de l'humus. En laissant les feuilles mortes sous les arbres, vous encouragez la présence des organismes décomposeurs, comme les mille-pattes et les escargots, qui transforment les feuilles en un riche humus. Vous préservez ainsi l'équilibre du milieu naturel. Des plantes adaptées au sous-bois peuvent alors y élire domicile.

6 Conservez les légumes racines dans la chambre froide (voir page 108) en utilisant vos feuilles d'automne. Disposez une couche de feuilles au fond d'une boîte. Faites alterner ensuite une couche de légumes et une couche de feuilles. Vous pouvez aussi conserver les pommes de cette façon.

Les feuilles constituent un élément de choix pour le compost fait à partir des résidus du jardin et de la table. Déchiquetez-les et intégrez-les au compost !

Préparez le jardin pour l'hiver

Choisissez judicieusement vos végétaux en fonction de votre zone de rusticité et vous éviterez bien des travaux de protection hivernale. Mais certains petits gestes aideront plantes et jardin à mieux passer l'hiver.

1 Bêchez le sol argileux tard à l'automne en le laissant en grosses mottes. Les grands gels les morcelleront pendant l'hiver, et le bêchage du printemps sera alors beaucoup plus facile.

2 Divisez les vivaces qui ont tendance à envahir votre terrain. Effectuez cette opération de préférence à l'automne dans le cas des vivaces à floraison hâtive (bergénia, pulmonaire, ciboulette). Elles auront le temps de bien s'enraciner avant que le sol ne gèle.

3 Tondez le gazon à l'automne quand il atteint 7 cm de hauteur. Maintenez-le plus court qu'en été afin d'éviter qu'une épaisse verdure ne recouvre le sol, ce qui favorise le développement des moisissures et des champignons le printemps venu. Enlevez les rognures et les débris avec le râteau à feuilles et mettez-les au compost.

4 Semez des engrais verts au potager, comme le seigle d'automne, l'avoine et l'orge ; ils limiteront l'érosion de votre sol grâce à leurs racines. Enfouissez-les tôt au printemps : ils fertiliseront alors votre sol (voir page 78).

5

6

5. Abritez vos arbustes sensibles au froid avec du jute. Il peut aussi servir à protéger les végétaux des sels de déglaçage. Superposez au moins deux épaisseurs de jute, car c'est un tissu très poreux.

6. Placez un filet au-dessus de votre jardin d'eau afin d'éviter que les feuilles mortes ne tombent au fond et s'y décomposent, privant ainsi les organismes vivants de l'oxygène dont ils ont besoin pendant l'hiver.

7. Protégez vos végétaux avec des feuilles d'automne. En plaçant au pied des végétaux un tapis de feuilles, vous permettez aux plantes de demeurer au jardin beaucoup plus longtemps. Retirez les feuilles tôt au printemps, car elles agissent comme isolant et empêchent l'air chaud de pénétrer le sol.

TRUC PRATIQUE

À l'automne, ne retirez pas le feuillage des plantes vivaces, même après le gel, surtout s'il couvre naturellement leurs racines. Cette protection est souvent suffisante pour contrer les effets négatifs des grands gels.

7

Les bons outils de jardin

Le nombre d'outils de jardin est presque illimité. Le jardinier écologique préfère ceux qui sont composés de matériaux durables et nobles, comme le bois et le métal. Choisissez-les en fonction de vos activités de jardinage.

1 La fourche à bêcher possède des dents plates et pointues. Évitez de soulever des racines d'arbre et d'arbuste et des roches trop lourdes, parce que les dents, sous l'effort, se déforment de façon permanente. Coût : de 25 à 40 $.

2 La fourche à fumier est munie de dents arrondies et effilées. On s'en sert pour la manipulation du fumier et du compost domestique. Coût : de 35 à 50 $.

3 La pelle ronde est un des outils les plus utilisés au jardin. Aiguisez-la au besoin à l'aide d'une lime. Une pelle à long manche ménagera votre dos, surtout si vous devez déplacer de grands volumes de terre, car vous n'aurez pas à vous pencher autant qu'avec une pelle ordinaire. Coût : de 20 à 45 $.

4 La pelle carrée est surtout employée pour diviser les vivaces et pour creuser les sentiers. Coût : de 25 à 50 $.

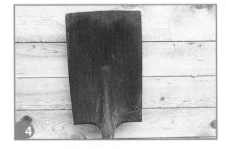

5 Le transplantoir est un outil très polyvalent. Préférez celui qui est muni d'un manche de bois, plus chaud que le métal et le plastique pour vos mains exposées au froid printanier. Les transplantoirs dont le manche est riveté au fourreau métallique sont habituellement plus robustes que ceux dont le manche est simplement collé. Coût : de 10 à 20 $.

6 La griffe remplace vos mains. Elle sert à biner le sol et à y incorporer le compost, les amendements et les fertilisants. Attention ! N'achetez pas une griffe aux dents trop acérées, parce qu'elles risquent de couper les racines des végétaux près desquels vous effectuez le binage. Coût : 25 $.

7 Le sarcloir coupe les herbes indésirables qui sont difficiles à extirper à la main. Aiguisez-le au besoin. Coût : 30 $.

8 La bêche sert à butter les plants et à façonner les sentiers et les planches. Coût : de 20 à 35 $.

Les outils de jardinage coûtent assez cher. Examinez soigneusement la marchandise avant de fixer votre choix. Voici quelques conseils de magasinage.

✔ Les manches en bois et en métal ne doivent présenter aucune aspérité. Rien n'est plus désagréable que de se blesser la main ! Vérifiez également si le bois est exempt de nœud, car le manche pourrait se fendre ou même casser net à cet endroit lorsque vous le forcez.

✔ Le manche doit être inséré solidement dans un fourreau en métal. Les rivets de retenue ne doivent pas être abîmés.

✔ Assurez-vous que les soudures sont lisses.

✔ Dans la mesure du possible, évitez les poignées creuses en plastique ; elles risquent de se briser si elles subissent un choc par temps glacial.

✔ Choisissez un outil qui convient à votre taille.

✔ Examinez les garanties. Sur les outils en bois de qualité, les couvertures de 5 ans sont assez courantes. C'est une durée intéressante. Gardez vos factures ! Certains fabricants offrent des garanties « à vie ». Attention ! La Loi sur la protection du consommateur interdit les garanties de ce type, car elles sont imprécises. Le fabricant est tenu d'indiquer un nombre précis de mois ou d'années.

9 Le coupe-bordure permet de délimiter les plates-bandes qui sont juxtaposées à du gazon. Coût : de 20 à 35 $.

10 Le râteau à feuilles a le grand avantage d'être silencieux, contrairement à ses concurrents, les souffleurs à feuilles électrique et à essence. Pour éviter la rouille, assurez-vous que le fourreau entre le balai et le manche est en acier inoxydable. Coût : de 15 à 25 $.

11 Le balai tout usage fait de brindilles végétales est bien adapté à un jardin écologique. On s'en sert pour nettoyer les pavages, les sentiers de bois ou de pierre et les autres constructions du jardin. Coût : de 10 à 15 $.

12 Le déplantoir sert à arracher les plantes indésirables, comme le plantain et le pissenlit, qui ont tendance à envahir les surfaces gazonnées. Coût : de 10 à 15 $.

13 Le sécateur est utilisé pour émonder et pour couper les petites branches. Prenez soin des lames : aiguisez-les régulièrement avec un outil approprié en vente dans les centres de jardinage au coût de 12 $. Différents formats de sécateur sont offerts selon la grosseur des branches à couper. Coût : de 20 à 75 $.

14 L'aérateur à compost muni d'ailerons pliants pénètre facilement dans le compost. Quand vous l'en retirez, ses ailerons s'ouvrent, mélangeant les éléments du dessous à ceux du dessus. Cet outil permet d'aérer le compost, donc d'en diminuer les odeurs désagréables. À l'achat, vérifiez sa robustesse. Coût : de 20 à 35 $.

15 Le faucillon est une petite faucille qui coupe les herbes et les broussailles dans les endroits difficiles d'accès. Il remplace avantageusement le taille-bordure motorisé et se manipule comme un bâton de golf. Coût : 30 $.

16 Le râteau sert à mille usages. On l'utilise notamment pour façonner des plates-bandes surélevées, retirer les cailloux et les débris sur les lits de semences et pour semer le gazon et les engrais verts. Coût : de 10 à 30 $.

TRUC PRATIQUE

Avant de ranger vos outils pour l'hiver, nettoyez-les à l'aide d'une brosse métallique. Asséchez-les ensuite et enduisez-les d'huile végétale. La rouille n'aura pas de prise sur eux !

Chapitre 3
Des plates-bandes en santé

En jardinage écologique, on cherche à produire des plantes en santé afin qu'elles résistent mieux aux attaques des insectes et aux maladies. Pour ce faire, le jardinier leur donne les meilleures conditions possibles de croissance et il les nourrit adéquatement. Dans ce chapitre, nous insistons sur le fait que le jardinier doit nourrir le sol et ses organismes vivants plutôt qu'épandre des engrais sans discernement. La raison en est simple : ce sont les organismes du sol qui préparent la nourriture de la plante. Comprendre comment la plante s'alimente est un gage de succès d'une fertilisation appropriée.

La relation entre la plante et le sol

Examinons une semence mise en terre. Aussitôt qu'elle est enterrée et en contact avec l'humidité, son tégument (ou enveloppe extérieure), qui la protège, ramollit. La germination débute alors. La radicule et les deux premières feuilles (cotylédons) apparaissent. Ces cotylédons contiennent les réserves nutritives qui servent à la plante en début de croissance.

Pendant l'émergence des deux premières vraies feuilles, les racines et les radicelles se développent pour tirer du sol les éléments nutritifs nécessaires à la plante. C'est alors que les racines sécrètent des sucres qui attirent des micro-organismes, comme les bactéries. Grâce à leur activité enzymatique, ces organismes, invisibles à l'œil nu, transforment les minéraux du sol et les rendent assimilables par la plante. Elle peut alors absorber les minéraux solubles essentiels à sa croissance en fonction des populations d'organismes présents dans le sol.

Par exemple, on sait que l'azote contribue au développement des tiges et des feuilles de la plante. Or, certaines bactéries, comme les rhizobiums, entrent en symbiose avec les légumineuses (famille du pois et du haricot) et provoquent une accumulation d'azote dans leurs racines, le rendant ainsi utilisable par la plante. Pour ce faire, le poil de la racine se courbe et enferme les bactéries qui se multiplient, ce qui produit un nodule regorgeant d'azote. Cet exemple illustre bien à quel point des échanges fondamentaux ont cours dans le monde insoupçonné et secret du sol.

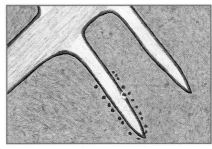

① Le poil d'une racine est entouré de rhizobiums (bactéries fixant l'azote), qui commencent à pénétrer son enveloppe.

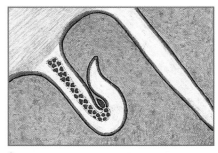

② Le poil de la racine se courbe et les bactéries migrent vers le cœur de la racine.

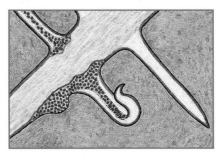

③ Les bactéries se multiplient entre l'écorce et le cœur de la racine.

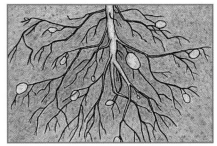

④ Les bactéries forment des nodules très apparents qui regorgent d'azote.

La fertilisation écologique du sol

Pour fertiliser adéquatement votre jardin, nous vous proposons un programme en quatre étapes qui tient compte de la vie du sol : l'utilisation du compost, le semis d'engrais verts, l'application de thés fertilisants et l'épandage d'engrais écologiques.

Le compost

C'est le premier ingrédient à épandre pour conditionner le sol. Fabriqué à partir des restes de table et des résidus de jardin, il fournit la gamme complète d'éléments nutritifs dont les plantes ont besoin. De plus, il nourrit les organismes du sol et favorise leur présence : vers de terre, mycorhizes, collemboles, acariens, mille-pattes, nématodes, gastéropodes, champignons et bactéries telles que les actinomycètes. Utiliser du compost, c'est ensemencer le sol d'organismes utiles en leur offrant gîte et couvert. Votre compostière : une auberge pour les organismes du sol !

Les engrais verts

Constitués de plantes cultivées pour être enfouies et enrichir le sol, les engrais verts comme le seigle et le sarrasin sont complémentaires aux apports de compost. Ils rendent les minéraux plus facilement assimilables. En recouvrant le sol, ils empêchent également la perte d'éléments nutritifs due au ruissellement. C'est pourquoi le jardinier a intérêt à semer des engrais verts lorsque des coins du jardin sont dégarnis après la récolte ou en saison morte. De plus, quelques-uns sont très décoratifs. Dans ce chapitre, vous trouverez des conseils sur la culture et l'utilisation des engrais verts.

Les thés fertilisants

Fabriqués à partir de plantes qui ont la propriété de concentrer les minéraux et les oligoéléments du sol, les thés fertilisants font partie du programme de fertilisation. Nous vous proposons quelques recettes simples qui donneront à vos plantes vigueur et santé.

Les engrais écologiques

Si vous décelez d'importants manques en minéraux, faites appel aux engrais écologiques. En fonction des résultats de l'analyse de sol (voir page 20), modifiez la teneur en minéraux de votre jardin. Nous vous donnons quelques indications sur les fertilisants écologiques les plus courants et les plus accessibles. Ces apports d'engrais complètent le programme de fertilisation du jardin écologique.

Les fertilisants à dissolution lente

En jardinage usuel, le jardinier nourrit directement la plante avec des sels minéraux solubles, en ne tenant pas toujours compte du rôle des organismes du sol. C'est lui qui juge des quantités d'éléments nutritifs nécessaires aux végétaux qu'il cultive. Il épand des fertilisants chimiques à dissolution rapide sous forme de sels minéraux qui sont directement assimilables. Ces fertilisants mènent à de meilleurs rendements, ce qui est avantageux pour l'industrie agroalimentaire. Cependant, ces apports risquent d'affecter la qualité et la valeur nutritive des légumes, qui peuvent être trop ou pas assez fertilisés. L'épandage d'engrais de synthèse, qui ne tient pas compte de la vie du sol, en détériore la structure et risque d'éliminer les organismes qui y vivent. De plus, cette méthode rendrait certaines cultures plus sensibles aux ravageurs et aux maladies. Il devient alors nécessaire de multiplier les applications de pesticides afin d'assurer la croissance des plantes plus vulnérables. C'est pourquoi nous recherchons en jardinage écologique des fertilisants qui se dissolvent lentement dans le sol sous l'action des organismes qui y vivent.

La lutte aux ravageurs

On dit d'un insecte qu'il est nuisible quand il menace dangereusement la santé de la plante. La présence de quelques insectes ravageurs sur une plante est souvent considérée par les chercheurs comme bénéfique. Par exemple, on s'aperçoit que lorsqu'un plant de pommes de terre est dévoré par quelques doryphores, il produit davantage. On constate également qu'une plante attaquée au printemps par des insectes de la première génération résiste mieux aux infestations des générations subséquentes de ces insectes. En fait, le but de la lutte aux ravageurs ne consiste pas à éliminer totalement les populations d'insectes nuisibles, mais plutôt à prévenir les infestations.

Des solutions plus écologiques

L'infestation se produit lorsqu'il y a un déséquilibre causé par un manque de prédateurs, un mauvais choix de végétaux ou par une fertilisation inadéquate. Si, même après leur avoir donné les meilleures conditions de croissance, vos végétaux souffrent d'infestations ou de maladies, ayez recours à des méthodes écologiques. Nous vous présentons d'abord un aperçu des fongicides écologiques qui préviennent la prolifération de champignons sur les cultures. Ensuite, nous abordons la lutte contre les insectes nuisibles.

Nous vous proposons les solutions les moins toxiques pour l'environnement en commençant évidemment par la prévention. Il est inutile de vaporiser d'emblée et sans discernement des pesticides contre les ravageurs, alors que d'autres moyens sont à votre disposition. Nous vous suggérons plutôt d'attirer dans votre jardin les prédateurs de ces insectes nuisibles, par exemple les coccinelles et les crapauds. Nous vous invitons également à cultiver des plantes qui sont réputées pour éloigner certains insectes ravageurs, comme la piéride du chou, la mouche de la carotte, le criocère de l'asperge et les fourmis. Enfin, si vous décidez de combattre les impitoyables récalcitrants, nous vous recommandons, parmi l'arsenal des insecticides actuellement offerts sur le marché, ceux qui sont les moins toxiques.

Pucerons, limaces, chats et écureuils

Ces quatre indésirables se rencontrent fréquemment dans les jardins ; c'est pourquoi nous leur accordons une grande importance. Dans le cas des insectes, nous vous recommandons d'abord de les identifier correctement, puis d'observer leur anatomie et leur comportement, des clés indispensables pour assurer une lutte efficace. Quant aux limaces, ce sont des organismes qui jouent un rôle important dans le cycle de la décomposition de la matière organique. Nous vous proposons d'analyser d'abord vos techniques de jardinage avant d'intervenir radicalement. Enfin, en ville ou en banlieue, les chats et les écureuils causent souvent des soucis au jardinier. Nous vous donnons quelques trucs astucieux pour éloigner ces mammifères contre lesquels la guerre est inutile.

Un insecte fascinant

Théoriquement, un puceron pourrait engendrer en l'absence de prédateurs et dans des conditions climatiques idéales plus de 5 milliards d'individus pendant une seule saison estivale québécoise. Ce prolifique insecte chasse ses prédateurs en les vaporisant, à l'aide de tubes reliés à son abdomen, d'une substance cireuse qui trouble leur vue et leur système de guidage.

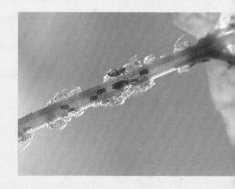

Le compost en un tour de main

Le compost conditionne, fertilise et aère le sol, retient l'eau et sert de paillis. Composter sur place permet de réaliser des économies substantielles en fertilisants, de réduire les coûts de transport des déchets ainsi que la pollution de l'air et de l'eau associée au transport et à l'enfouissement des déchets.

Avant de composter les résidus de jardin, jetez à la poubelle les plants malades et les mauvaises herbes montées en graines. Pour le compostage, deux méthodes s'offrent à vous : le compostage en surface, surtout utilisé au potager, et le compostage en compostière pour composter les résidus des plates-bandes annuelles et vivaces.

Le compostage en surface

Au jardin, enfouissez en surface les herbes indésirables non montées en graines, les rognures de gazon et les résidus de culture (racines et feuilles).

Voici comment faire.

1 Creusez une tranchée d'environ 10 cm (4 po) de profondeur.

2 Déposez les résidus de culture dans la tranchée et déchiquetez-les à l'aide d'une pelle.

3 Couvrez de terre et maintenez humide. Les végétaux enfouis en juin, juillet et août se décomposeront en deux semaines environ ; ceux qui seront enfouis à la fin de septembre seront décomposés au printemps suivant. Assurez-vous que la décomposition est terminée avant de semer.

Le compostage en compostière

Voici comment faire.

1 Déchiquetez. Déposez vos résidus de jardin sur une table de bois et hachez-les à l'aide d'un couperet. Ce faisant, vous accélérez la décomposition de la matière organique.

2 Mélangez trois parties de matières vertes à une partie de matière brune (feuilles mortes déchiquetées, paille, bran de scie de bois dur). Sans ajout de matière brune, riche en carbone, l'azote (partie verte des végétaux) s'échappe sous forme d'ammoniac. Conséquences : odeurs désagréables et compost peu fertilisant. Déposez ce mélange dans la compostière.

3 Maintenez le compost humide. Pour que les organismes décomposeurs survivent et travaillent adéquatement, le compost doit demeurer humide, mais non détrempé. Portez particulièrement attention aux coins de la compostière : ils ont tendance à s'assécher plus rapidement que le centre.

4 Aérez le compost. Le compost empeste ? C'est qu'il manque d'air ou de matière brune. Oxygénez-le à l'aide d'un aérateur, un outil spécialement conçu à cet effet, en vente dans les centres de jardinage (environ 30 $). Si le compost est trop humide, ajoutez-y de la matière brune.

5 Transférez le compost d'un compartiment à l'autre quand le premier est plein. Pour une décomposition uniforme, placez au centre les portions qui étaient situées dans les coins. Après quelques semaines, ce compost est décomposé et prêt à être utilisé au jardin.

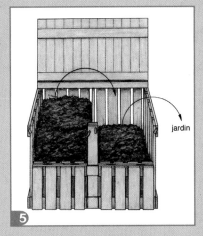

jardin

Surveillez la température

Vous remarquerez que le compost dégage de la chaleur : c'est le résultat du travail des bactéries et des autres organismes décomposeurs. Cette chaleur détruit les virus et les bactéries pathogènes présents dans les végétaux. Pour mesurer la température, utilisez un thermomètre de sol en vente dans les centres de jardinage pour environ 20 $. Plus la température est élevée, plus les pathogènes sont éliminés rapidement : à 50 °C, quelques journées suffisent, alors qu'à 40 °C, plus d'une année est nécessaire. Cherchez à maintenir une température de 50 °C pendant trois journées consécutives pour supprimer les pathogènes. Pour ce faire, le volume de matériel à composter doit être d'au moins 3 pi³ (0,08 m³). Transférez ensuite le compost dans une autre compostière selon la méthode décrite à la page 73. Cependant, ne vous inquiétez pas outre mesure de la température, puisqu'en retirant les plantes malades comme on vous le propose, votre compost ne devrait pas répandre de maladies dans votre jardin. Que faire durant l'hiver ? Pendant la saison froide, la décomposition ralentit et le compost gèle. Il est alors important de mélanger en parts égales les déchets de table et la paille. Vous évitez ainsi les odeurs désagréables au moment du dégel printanier. Une fois que le compost aura dégelé, transférez-le dans une autre compostière.

Choisissez le degré de décomposition de votre compost.

Selon leurs besoins nutritifs, les végétaux préfèrent un compost très (1), moyennement (2) ou peu décomposé (3). Vous trouverez au chapitre 5 les conseils d'utilisation du compost pour chacun des légumes.

TRUC PRATIQUE

Raffinez votre technique : tamisez le compost et réduisez-le en fines particules. Les minéraux sont ainsi plus facilement assimilables par les racines des végétaux. Les laitues, notamment, apprécient ce traitement de choix.

MATIÈRES À COMPOSTER

- Les restes de fruits et de légumes (pelures, pépins, noyaux, racines, feuilles, etc.).

- Les résidus de table (pain, céréales, coquilles d'œufs, noix, etc.).

- Les déchets de jardin (rognures de gazon, mauvaises herbes avant qu'elles ne soient en graines, fleurs, terreau d'empotage, feuilles mortes, paille, paillis végétaux, plants de légumes et de fruits, etc.).

MATIÈRES À NE PAS COMPOSTER

- Les gras animaux, la viande, les os, les œufs, le poisson, les produits laitiers, les litières d'animaux domestiques, le fumier frais. Ces produits peuvent dégager des odeurs qui attirent la vermine ou propager des microbes pathogènes.

- Les huiles végétales, parce qu'elles se décomposent mal.

- Les mauvaises herbes en graines, les végétaux malades et les plantes envahissantes, afin d'éviter leur propagation.

- Les aiguilles et le bran de scie de conifères acides comme le pin, le sapin, l'épinette. Un taux d'acidité trop élevé ralentit la décomposition.

- Les feuilles de chêne et de noyer, qui contiennent beaucoup de tanins qui empêchent la décomposition.

De l'aide pour le compostage

Au Québec, chaque famille produit en moyenne 700 kg de déchets organiques par année: feuilles mortes, rognures de gazon, fleurs fanées, restes de végétaux de cuisine, etc. À Montréal, les citoyens produisent environ 319 000 tonnes de résidus putrescibles dont 156 300 tonnes de résidus verts. À environ 100 $ la tonne pour les enfouir, cela commence à compter. Et c'est polluant. Enterrés, ces résidus produisent du lixiviat, un liquide toxique qui pollue les eaux souterraines, et des biogaz potentiellement dangereux dont certains, comme le méthane, sont des gaz à effet de serre. Et si on ajoute les coûts d'élimination des biogaz et du traitement du lixiviat, la facture est encore plus élevée.

La solution: composter sur son terrain les résidus de matière organique, qui constituent 40 % du volume du sac à ordures. De nombreuses initiatives en ce sens sont déjà en place. En effet, depuis plusieurs années, des groupes de citoyens et des municipalités gèrent des programmes subventionnés de distribution de compostières domestiques (voir Ressources, p. 174).

Les résultats sont prometteurs. Selon Recyc-Québec, quelque 12 500 tonnes de déchets organiques sont compostées par les citoyens chaque année. Chaque compostière domestique en opération réduirait de 100 à 300 kg la quantité de résidus putrescibles qui autrement se retrouveraient dans les sites d'enfouissement.

Le compostage domestique permet donc de réaliser d'importantes économies récurrentes. Si les citoyens réduisent à la source la quantité de résidus verts de leur sac à ordures, les économies sont énormes pour les villes de même que pour les jardiniers qui transforment ces résidus en un compost riche. Ils ont alors moins d'engrais à acheter et leur terre profite du compostage en devenant plus riche, plus meuble et plus productive.

Les organismes du compost

Une foule d'organismes vivants participent, de façon directe ou indirecte, à la transformation de la matière organique en un compost de qualité. Tous sont essentiels à ce processus. Apprenez à les reconnaître !

1 Acariens

Très petits organismes, dont beaucoup sont microscopiques ; la tête est soudée au thorax. Il existe des espèces nuisibles et des espèces utiles d'acariens, dont celles que l'on trouve dans le compost. Les acariens se nourrissent de levures, de champignons, de bactéries, de certains acariens et d'insectes nuisibles.

2 Actinomycètes

Organismes microscopiques qui ont l'aspect ramifié des moisissures. Ils participent à la décomposition de la matière organique. Ils donnent au compost une odeur de terreau.

3 Bactéries

Organismes microscopiques qui sont les premiers à se nourrir de matière organique et la fractionnent en éléments plus faciles à digérer pour d'autres organismes. Les bactéries ont besoin d'eau et d'oxygène.

4 Centipèdes

Animaux voisins des insectes, dont le corps comprend au moins 15 segments généralement aplatis ; chacun des segments porte une paire de pattes. Ils sont de rapides prédateurs et se nourrissent d'insectes, d'araignées, de petits escargots et de petites limaces.

5 Champignons microscopiques

Dans le compost, on les trouve surtout sous forme de levures et de moisissures. Ils sont très actifs dans la décomposition des différentes composantes de la matière organique.

6 Cloportes

Crustacés terrestres à carapace ovale de couleur grisâtre qui aiment l'humidité. Ils sont nocturnes, se nourrissent surtout de végétaux en décomposition, favorisant le recyclage des nutriments.

7 Collemboles

Les collemboles sont de minuscules insectes sauteurs qui vivent sur la matière organique en décomposition. Ils se nourrissent de champignons et de bactéries et aident à la décomposition de la matière organique.

8 Fourmis

Les fourmis sont des insectes qui vivent en colonies bien organisées. Elles font habituellement leur nid dans le sol ou dans du compost mûr.

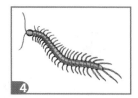

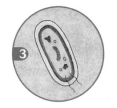
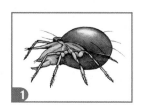

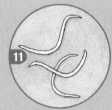

Ordre d'apparition des organismes dans le compost

Dans les résidus de végétaux, on peut apercevoir des limaces, des cloportes, des perce-oreilles et des mille-pattes. Les bactéries sont les premières à se nourrir des matières organiques mortes, elles sont présentes dès le début et durant tout le processus de compostage.

Par la suite apparaissent les champignons, les actinomycètes, les protozoaires et les nématodes. Suivent les acariens, les collemboles, les centipèdes, les staphylins, les fourmis et les vers de terre.

9 Limaces

Mollusques au corps mou, visqueux et sans pattes, généralement grisâtre. Les limaces ressemblent à des escargots sans coquille. Elles sont nocturnes, se nourrissent de matériaux mous et ligneux, fragmentent et défont la matière organique.

10 Millipèdes

Le corps du mille-pattes est formé de nombreux segments, dont chacun porte deux paires de pattes. Certaines espèces phytophages se nourrissent de fragments de végétaux en décomposition et d'autres espèces carnivores mangent des organismes vivants. Les mille-pattes fuient la lumière et on peut les trouver dans le compost et les sols riches en matière organique.

11 Nématodes

Petits vers ronds, de 0,1 à 1 mm de longueur, qui jouent un rôle important dans la fragmentation de la matière organique. Ils se nourrissent de matière organique et de bactéries.

12 Perce-oreilles

Ces insectes possèdent un abdomen allongé brun rougeâtre, dont l'extrémité est munie de deux appendices en forme de pince. Ils mangent principalement de la matière organique en décomposition. Ils sont nocturnes et s'infiltrent dans les débris végétaux et les fissures pour y passer la journée.

13 Protozoaires

Organismes microscopiques qui jouent un rôle important dans la fragmentation de la matière organique. Ils se nourrissent de matière organique et certaines espèces dévorent des champignons et des bactéries.

14 Staphylins

Insectes au corps étroit, noir, velouté, de forme presque toujours allongée. Lorsqu'ils se sentent menacés, ils relèvent le bout exposé de leur abdomen. Larves et adultes sont habituellement prédateurs d'insectes nuisibles. Les staphylins hivernent souvent dans les tas de compost.

15 Vers de terre

L'espèce *Eisenia foetida* convient le mieux au compostage; on la reconnaît facilement par sa couleur rouge et ses sillons pâles presque jaunes. Elle apparaît dans le compost après la première période de chaleur. Elle mange de la matière organique, dont 15 % sera digérée et rejetée en déjections fertiles qui enrichissent le compost en éléments nutritifs. De plus, elle améliore l'aération du compost en mélangeant continuellement les couches du tas.

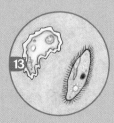

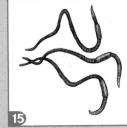

Les engrais verts

Les engrais verts sont des végétaux que vous semez et dont vous enfouissez ensuite les pousses dans le sol pour en améliorer la fertilité. De plus, pendant leur croissance, ils freinent la perte d'éléments nutritifs due au ruissellement.

1. Semez les engrais verts à la volée. Le seigle semé à l'automne à raison de 15 g par m^2 survit à l'hiver et est enfoui le printemps suivant. Achetez en petites quantités les semences de sarrasin, de trèfle blanc, de tournesol ou de luzerne chez les marchands d'aliments naturels ou chez les grainiers.

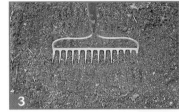

2. Couvrez les semences à l'aide d'un râteau en les mélangeant à la terre. Ou bien couvrez-les de 1 ou 2 cm de terre à l'aide d'une pelle.

3. Tassez la terre avec le râteau en tapotant le sol avec la traverse munie de dents. Cette opération empêche le vent et la pluie de transporter les semences loin de leur lit.

4. Arrosez à l'aide d'un arrosoir à bec inversé afin de ne pas déplacer les semences. Évitez de faire des rigoles: ne maintenez pas trop longtemps l'arrosoir à la même place.

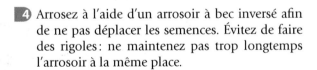

5. Enfouissez les engrais verts (ici, du seigle) avec la fourche à bêcher avant leur floraison. Recouvrez de terre et humectez au besoin pour accélérer la décomposition. Vous pouvez transplanter immédiatement vos végétaux après l'enfouissement, mais attendez 14 jours avant de semer sur cette parcelle.

6 Sarrasin (*Fagopyrum esculentum*)

Faciles à cultiver, les engrais verts nourrissent le sol, diminuent l'érosion et encouragent la présence d'organismes utiles. Pourquoi s'en passer ?

6 Cultivez le sarrasin, un engrais vert d'été qui aime la chaleur. Semez-le sur une parcelle ou en compagnonnage de légumes qui apprécient l'humidité constante, comme les asperges. Densité du semis : 10 g par m². Le sarrasin aide à extraire le phosphore du sol pour le rendre disponible aux plantes qui s'en nourrissent (voir page 21).

7 Semez le trèfle blanc, une légumineuse qui préserve l'humidité du sol et favorise la fixation de l'azote atmosphérique, utile à la croissance des végétaux. Semez 1,5 g de trèfle par m². Essayez d'autres engrais verts : le trèfle mélilot, la phacélie, la moutarde, la féverole, l'orge ou l'avoine.

Trèfle blanc (*Trifolium repens*)

7

Un thé fertilisant SVP

Plusieurs plantes, une fois fermentées, constituent d'excellents fertilisants pour les jardins. Voici comment en transformer trois : la bardane, la consoude de Russie et l'ortie.

Recette de base

1 Cueillez la plante avec un couteau en acier inoxydable bien aiguisé. Ici, la bardane.

2 Préparez l'infusion. Déposez les feuilles fraîches dans un sac de coton. Placez-le dans un contenant en terre cuite dont l'intérieur est émaillé pour éviter le contact avec les pigments toxiques présents dans la couleur. Vous pouvez aussi utiliser un baril de bois dur. Remplissez-le d'eau et laissez fermenter selon les durées décrites plus loin.

3 Diluez de façon à obtenir la couleur ambrée qui indique généralement un bon taux de dilution. Quand il pleut, appliquez le thé fermenté non dilué au pied des racines : l'eau contenue dans le sol en réduira la concentration.

4 Vaporisez le feuillage des plantes en prenant soin de diluer la préparation. Évitez de vaporiser les plantes sensibles aux champignons (mildiou, tache noire des rosiers, tavelure). Dans ce cas, arrosez plutôt le sol à la base des plants.

5 Bardane (*Arctium lappa*)

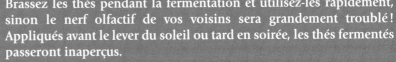

Brassez les thés pendant la fermentation et utilisez-les rapidement, sinon le nerf olfactif de vos voisins sera grandement troublé! Appliqués avant le lever du soleil ou tard en soirée, les thés fermentés passeront inaperçus.

Des plantes pour fabriquer des thés

5 La bardane contient de l'azote, du potassium et du calcium. Plongez 10 g de feuilles de bardane (avant sa floraison) dans 1 litre d'eau et laissez fermenter pendant 7 jours. Diluez 1 partie de cette préparation dans 15 parties d'eau. Arrosez le feuillage ou les racines des plantes.

6 La consoude de Russie contient beaucoup d'azote et de potassium. Laissez fermenter 15 g de feuilles fraîches dans 1 litre d'eau pendant 7 jours. Diluez 1 partie de cette préparation dans 15 parties d'eau. Vaporisez sur le feuillage ou arrosez les racines.

Consoude de Russie (*Symphytum officinale*)

7 L'ortie est riche en azote et en fer. Cueillez-la avec des gants et des ciseaux, car elle brûle la peau. Laissez fermenter 20 g de plantes fraîches dans 1 litre d'eau durant 5 jours. Filtrez et diluez 1 partie de cette préparation dans 20 parties d'eau. Appliquez sur le feuillage ou les racines.

Ortie (*Urtica dioica*)

Les fertilisants écologiques

Après trois années de culture, nous vous conseillons de procéder à une analyse de sol. Si elle révèle des carences importantes en minéraux, ajoutez des fertilisants écologiques à votre sol.

Les pourcentages indiqués entre parenthèses correspondent à la concentration des éléments nutritifs. Par exemple, le fumier de poule contient 1,1 % d'azote et la farine de plume, 13 %.

1 Les sources d'azote (N) : les fumiers, dont le fumier de poule (1,1 %), le compost (1,2 %), les légumineuses enfouies (2 %) (voir page 78), le fumier de lapin (2,4 %), la farine de sang séché (13 %) et la farine de plume (13 %). N'appliquez pas de farine de sang ni de fumier de poule sur les racines, parce qu'elles risquent de brûler. Plusieurs jardiniers n'appliquent pas au potager de farine de sang séché parce qu'ils doutent de l'innocuité du produit.

a. compost
b. sang séché
c. farine de plume

2 Les sources de phosphore (P) : le compost (0,4 %), les fumiers, dont le fumier de lapin (1,4 %) et le fumier de canard (1,4 %), le phosphate de roche (27 %) et la poudre d'os (30 %).

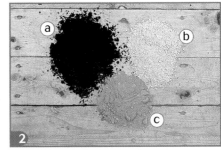

a. compost
b. poudre d'os
c. phosphate de roche

3 Les sources de potassium (K) : les fumiers, dont le fumier de mouton (1 %), le compost (3 %), la paille (3 %), la cendre de bois (5 %), la poussière de granite (7 %), la poudre de basalte (10 %), le sul-po-mag (21 %) et le mica (7 %).

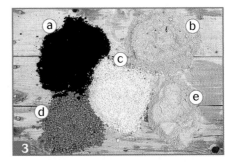

a. compost
b. cendre de bois dur
c. sul-po-mag
d. basalte
e. mica

4 **Les fertilisants écologiques combinés** contiennent les éléments majeurs (N-P-K) en diverses proportions, selon l'usage qui leur est réservé : par exemple, sur la pelouse (9-2-4), dans le jardin potager (4-3-6), pour les fleurs (4-4-6) ou les arbres et les arbustes (4-4-8). Remarquez que les formulations varient d'un fabricant à l'autre, même si ces fertilisants sont destinés aux mêmes usages. Leur grand avantage : ils sont faciles à utiliser. Pour guider votre choix, lisez les recommandations sur les sacs.

5 **Les émulsions d'algues ou de poisson** et parfois la combinaison des deux sont aussi employées. En plus de contenir les éléments majeurs en proportions variables selon les formulations, elles fournissent aux plantes des oligoéléments. Servez-vous-en au moment de la transplantation et lorsque la croissance des plants ralentit.

Soyez à l'affût des nouveaux fertilisants écologiques qui arrivent sur le marché. N'hésitez pas à vous informer auprès de votre centre de jardinage.

Des fongicides écologiques

Prévenez les maladies dues aux champignons grâce à nos recettes.

1 **Le sulfate de cuivre.** Il est recommandé dans la documentation sur le jardinage biologique. Des réserves sont toutefois émises quant à sa toxicité pour la plante sur laquelle on l'applique et quant aux dangers d'une utilisation abusive. À employer avec précaution en lisant bien les recommandations du fabricant. Nettoyez le vaporisateur après chaque application, parce que le sulfate de cuivre a tendance à l'obstruer.

2 **L'argile blanche** est légère et très poudreuse. Elle s'applique sur les feuilles. En asséchant la surface de la feuille, elle réduit les risques de prolifération de champignons qui préfèrent les conditions humides. Procurez-vous de l'argile blanche dans les magasins d'aliments naturels.

3 **La prêle.** Dans une casserole remplie de 1 litre d'eau, plongez environ 100 g de prêle fraîche (ou 15 g si séchée). Faites bouillir 20 minutes. Laissez refroidir, puis diluez dans 5 litres d'eau. Vaporisez sur le feuillage pour contrer le développement des maladies dues aux champignons telles que la rouille, le mildiou et la tavelure.

4 **La camomille allemande.** Dans une casserole, mélangez 5 g de fleurs de camomille séchée à 1 litre d'eau. Faites mijoter pendant 20 minutes. Laissez refroidir. Passez au tamis. Le matin, vaporisez vos semis lorsque vous constatez un début de fonte des semis, une maladie caractérisée par l'affaissement des plantules.

5 **L'ail** aiderait à réduire certaines maladies cryptogamiques (affections provoquées par les champignons). Placez 8 g d'ail haché dans 1 litre d'eau bouillante. Laissez refroidir. Filtrez et vaporisez sur les plantes sensibles aux champignons.

6 **Le petit lait.** Versez 1 litre de lait dans un pot de verre. Couvrez. Laissez reposer à la température ambiante jusqu'à l'obtention d'une eau blanchâtre flottant au-dessus du lait caillé (1 jour environ). Passez au tamis pour recueillir l'eau blanchâtre. Diluez en parts égales avec de l'eau et vaporisez aux 10 jours sur les plantes sensibles dès la fin de juin.

7 **Le raifort.** Placez 100 g de feuilles et de racines de raifort hachées dans une casserole remplie de 1 litre d'eau bouillante. Laissez refroidir. Filtrez et vaporisez pour prévenir et traiter la fonte des semis.

Éloignez les insectes nuisibles

Dans un potager, plusieurs légumes bénéficient de la proximité de certaines plantes. En plus d'embellir le jardin, ces dernières éloignent les insectes nuisibles et parfument quelquefois les légumes voisins. Voici sept combinaisons éprouvées.

1 La coriandre et la carotte. La coriandre éloigne efficacement la mouche de la carotte, un redoutable ravageur dont la larve creuse des galeries dans vos carottes. Semez ensemble la coriandre et la carotte en intercalant la coriandre à tous les 30 cm dans le rang de carottes.

Coriandre (*Coriandrum sativum*)

2 Le basilic et l'aubergine. Vous pouvez placer le basilic un peu partout dans le jardin. Il a la réputation d'améliorer le goût de la tomate, tout comme l'origan rehausse celui des haricots. Il sert également à brouiller le système de repérage du doryphore, qui aime dévorer les feuilles de l'aubergine.

Basilic (*Ocimum basilicum*) et aubergine (*Solanum melongena*)

Doryphore

3 La tagette française et les tomates. La tagette française est reconnue comme étant capable d'éloigner certains nématodes (petits vers) nuisibles qui mangent les racines des tomates. De plus, sa couleur égaie le potager. Si l'infestation est importante, la façon la plus efficace de se débarrasser des nématodes consiste à planter intensivement des tagettes sur les parcelles affectées et de les enfouir à la fin de la saison.

Tagette française (*Tagetes patula*) et tomates (*Lycopersicon esculentum*)

Hysope
(*Hyssopus officinalis*)

4

Calendule
(*Calendula officinalis*)
et asperges
(*Asparagus officcinalis*)

5

Criocère

Menthe poivrée
(*Mentha piperita
vulgaris*)

6

Au premier plan, le thym
(*Thymus vulgaris*) ;
à l'arrière-plan, l'origan
(*Origanum vulgare*)

7

4 **L'hysope et les choux.** La piéride du chou, un petit papillon blanc ou jaune, est davantage attirée par les fleurs de l'hysope que par les feuilles du chou dont elle raffole pourtant ! Ainsi, les chances qu'elle ponde ses oeufs sur les choux sont moindres quand on juxtapose choux et hysope !

5 **La calendule et les asperges.** La calendule communique un goût prononcé aux plantes adjacentes, les rendant peu attirantes pour les insectes ravageurs. Près des asperges, les calendules en éloignent le criocère rayé ou tacheté.

6 **Certaines menthes** éloignent les fourmis. C'est le cas de la menthe Pouliot et de la menthe poivrée. On peut aussi épandre au sol des feuilles de menthe fraîches ou séchées ou les mélanger à de l'eau pour arroser les zones infestées.

7 **L'origan et le thym** contre certains ravageurs. Le thym éloigne la piéride du chou alors que les fleurs de l'origan attirent certaines guêpes qui chassent la piéride du chou.

Diversifiez vos plates-bandes ! Non seulement vous enjolivez votre jardin, mais vous réduisez aussi l'utilisation de pesticides. Qui plus est, certains arômes s'échangent entre ces plantes pour le plus grand bonheur de votre palais.

Les plantes insecticides

Faites vos insecticides à partir des plantes de votre jardin! Bien que naturelles, ces préparations peuvent être irritantes: au moment de l'application, couvrez-vous et portez lunettes, masque en coton et gants.

1 L'absinthe. Faites mijoter 300 g de fleurs ou de feuilles fraîches d'absinthe (ou 30 g si séchées) dans 1 litre d'eau pendant 20 minutes. Filtrez et diluez dans 10 parties d'eau. Vaporisez aux trois jours sur les plantes infestées par les fourmis, chenilles, puces, acariens, pucerons, piérides du chou, mouches de l'oignon et certaines mineuses.

2 Le pyrèthre. Ajoutez 1 cuillerée à table de fleurs de pyrèthre séchées et moulues à 2 litres d'eau. Incorporez 1 cuillerée à thé de savon à vaisselle. Passez au tamis et appliquez sur les plantes pour lutter contre l'altise, chenille, cicadelle, criocère de l'asperge, fausse-arpenteuse du chou, mouche blanche, noctuelle (ver gris), perce-oreille, puceron, punaise et thrips. Rangez à la noirceur et au frais.

3 La tanaisie. Plongez 30 g de feuilles, de tiges et de fleurs de tanaisie fraîche (ou 3 g si séchée) dans 1 litre d'eau bouillante. Laissez reposer 20 minutes. Filtrez. Faites refroidir et appliquez non dilué sur les plantes pour lutter contre une multitude d'insectes dont le carpocapse de la pomme, le doryphore de la pomme de terre, la fourmi, la noctuelle et le puceron.

Absinthe
(*Artemesia absinthium*)

Pyrèthre
(*Chrysanthemum cinerariifolium*)

3 Tanaisie (*Tanacetum vulgare*)

Ces insecticides peuvent affecter tous les insectes, nuisibles ou pas. Appliquez-les seulement sur les plants infestés. Pour prévenir les ravages des insectes, plantez avant tout vos végétaux dans la terre qui leur convient et fertilisez-les bien.

Piment de Cayenne
(*Capsicum annuum*)

4 **Le piment de Cayenne.** Broyez 1 piment de Cayenne séché et mélangez à 1 litre d'eau avec 1 cuillerée à thé de savon à vaisselle. Laissez reposer 12 heures au frais et à l'abri de la lumière. Pulvérisez sur les plants pour lutter contre les pucerons, fourmis, chenilles, acariens, larves de la mouche du chou et sphinx de la tomate. Si vous n'avez pas cultivé le piment de Cayenne au jardin, utilisez du poivre de Cayenne vendu au rayon des épices du supermarché.

Ortie (*Urtica dioica*)

5 **L'ortie.** Dans un contenant en bois ou en grès, déposez 100 g d'ortie fraîche (ou 20 g de plante séchée) par litre d'eau. Laissez fermenter pendant 7 jours. Diluez 1 partie de ce liquide dans 10 parties d'eau. Vaporisez sur les plants attaqués entre autres par les mouches blanches (aleurodes) et les pucerons, dont le puceron lanigère.

Ail (*Allium sativum*)

6 **L'ail.** Pendant 12 heures, faites macérer 15 g d'ail haché dans 15 ml d'huile d'olive. Ajoutez à 500 ml d'eau. Mélangez et filtrez. Diluez dans 5 parties d'eau et ajoutez 1/4 cuillerée à thé d'alcool à 40 %. Pulvérisez sur les pucerons, dont le puceron noir du haricot, les chenilles de la piéride du chou, les larves du doryphore et les mouches de l'oignon.

Les insecticides écologiques commerciaux

Quand le temps vous manque pour fabriquer vos propres insecticides et que les ravageurs pullulent, utilisez les produits commerciaux les moins toxiques. Découvrez-en quelques-uns.

1 **Le pyrèthre** est un produit obtenu à partir des fleurs du pyrèthre (voir page 88). Vaporisez-le sur les insectes. Il atteint leur système nerveux, causant une paralysie presque immédiate en plus d'irriter leurs membranes. L'efficacité du pyrèthre diminue quand il est exposé à la lumière. Il persiste peu longtemps dans l'environnement et il est considéré comme l'insecticide le plus sécuritaire pour les mammifères.

Par ailleurs, quelques espèces d'insectes réussissent à se remettre d'un traitement au pyrèthre. C'est pourquoi les fabricants lui ajoutent souvent du pipéronyl-butoxide, un dérivé du sésame. Ce produit peut cependant affecter le système nerveux des êtres humains. Recherchez du pyrèthre sans cet ingrédient actif ou encore fabriquez le vôtre (voir page 88). On l'emploie contre beaucoup d'insectes dont les altises, chenilles, cicadelles, criocères de l'asperge, fausses-arpenteuses du chou, mouches blanches, noctuelles (vers gris), perce-oreilles, pucerons, punaises et thrips. Coût: 11 $ pour 550 ml.

Vous trouverez sur le marché de la pyréthrine synthétique. Sachez qu'elle a le désavantage de persister plus de 10 ans dans l'environnement. Recherchez plutôt un produit obtenu à partir de la fleur du pyrèthre.

2 **Le Bt** (*Bacillus thuringiensis*) est une bactérie qui, une fois appliquée sur le feuillage des végétaux, est ingérée par les chenilles des insectes ravageurs. La bactérie détruit les parois du tube digestif, empêchant l'insecte de se nourrir. La mort survient quelques jours après l'application. Le Bt est non toxique pour l'être humain. Il est offert sous forme liquide ou en poudre. Gardez-le au réfrigérateur une fois le contenant ouvert. Le Bt se conserve environ deux ans. Coût: 10 $ pour 100 ml.

3 **La terre diatomée** (dioxyde de silice) est extraite d'organismes unicellulaires ou d'algues fossilisés. C'est une poudre abrasive comme de la vitre et desséchante. On l'applique directement sur les insectes. En absorbant la couche cirée de leur chitine (peau), elle les déshydrate. Contrez grâce à elle les infestations de fourmis, perce-oreilles et lépismes argentés. Portez toujours un masque et couvrez-vous pendant l'application. Cette poudre est très irritante pour les poumons et les muqueuses. Coût: 8 $ pour 200 g.

4 **L'huile horticole** empêche l'insecte et sa larve de respirer en bouchant leurs stigmates (orifices qui servent à la respiration). Elle détruit aussi les oeufs en pénétrant dans la coquille. Souvent fabriquée à partir de pétrole, cette huile extrêmement raffinée est considérée comme un composé chimique organique. Elle est peu toxique pour l'être humain et les animaux, parce qu'elle n'intervient pas dans les processus biochimiques. De plus, elle n'est pas persistante : une fois appliquée, elle demeure peu longtemps dans l'environnement. N'appliquez pas l'huile horticole sur une plante assoiffée, parce qu'elle risque d'abîmer ses tissus. Vaporisez-la directement sur les insectes par temps frais, car le soleil et la chaleur la dégradent rapidement. Lisez attentivement les contre-indications sur l'étiquette, l'huile horticole pouvant endommager certains arbres. On l'utilise pour limiter les populations de pucerons, mouches blanches, criocères, punaises, cochenilles et acariens. Coût : 8 $ pour 500 ml.

5 **La roténone** est un extrait de plantes originaires de l'Amérique du Sud. Saupoudrez-la sur les ravageurs. Les insectes sont atteints par contact externe et par ingestion. Ils cessent rapidement de se nourrir, mais leur agonie peut durer plusieurs jours. La roténone est modérément toxique pour les mammifères et hautement toxique pour les poissons. Utilisez-la sur les plantes ornementales. Ne l'appliquez pas sur les plantes comestibles parce qu'elle peut être toxique pour l'être humain. Évitez de l'utiliser près d'un bassin d'eau, parce qu'elle peut faire mourir vos amphibiens et vos poissons. Employez-la pour réduire les populations de plusieurs espèces de chenilles, de larves et d'insectes adultes. Coût : 10 $ pour 1 kg.

6 **Le savon insecticide** détruit les membranes des insectes et des acariens. Il est constitué d'acides gras spécialement sélectionnés. On vaporise le savon directement sur les insectes. La mort est rapide : quelques minutes ou quelques heures après l'application. Vaporisez tôt le matin par temps clair pour éviter l'assèchement rapide du savon, qui perd alors son efficacité. Servez-vous-en pour limiter les populations de pucerons, cicadelles, tétranyques (araignées rouges), cochenilles, aleurodes, psylles, larves de la mouche à scie et perce-oreilles. Coût : 8 $ pour 1 litre.

Alerte aux pucerons!

Surtout en début d'été, les pucerons envahissent les plantes du jardin. Limitez rapidement les infestations, sinon, en plus de transmettre des virus à vos végétaux préférés, ces insectes peuvent les détruire.

1 Identifiez les pucerons avant d'agir. Ils sont oblongs, de couleur verte, brune ou noire, et vivent en colonies sous les feuilles et le long des tiges. Les feuilles sont souvent déformées et enduites d'une substance collante semblable à de la mousse; c'est le miellat que sécrètent les pucerons.

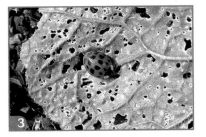

2 Vaporisez un jet d'eau à forte pression sur les pucerons tous les trois jours pour les déloger et frottez le dessous des feuilles de bas en haut avec les doigts pour écraser ces insectes à carapace molle. Procédez dès leur apparition sur les jeunes plants, car ils sont difficiles à atteindre lorsqu'ils se cachent dans le feuillage des plants matures.

3 Attirez les prédateurs, comme la coccinelle, le syrphe, la chrysope, la punaise des fleurs et la guêpe parasite. Pour ce faire, plantez des fleurs qui produisent beaucoup de nectar: basilic, lavande, sauge, romarin, hysope, monarde, guimauve, valériane, achillée millefeuille, menthe, onagre, alysse maritime, carotte et panais.

4 Diminuez les apports d'azote pour que les plantes croissent modérément (voir page 82). Trop d'azote entraîne une croissance rapide des végétaux et produit des pousses tendres, gorgées de sève, dont raffolent les pucerons.

5 Surveillez les fourmis, parce qu'elles font souvent l'élevage des pucerons pour se nourrir de leur miellat. Elles mangent les larves des prédateurs de pucerons comme la coccinelle, la chrysope et le syrphe. Pour détruire les fourmis, placez un appât sucré à base d'acide borique au pied des plants infestés. Cet appât est vendu dans les quincailleries et les centres de jardinage. Ou arrosez-les d'une décoction de tanaisie (voir page 88).

6 Utilisez des insecticides maison fabriqués à partir de plantes (voir page 88). Ne vaporisez que les parties infestées. Au jardin, évitez les insecticides à base d'ail, car plusieurs prédateurs de pucerons meurent à leur contact.

7 Employez des insecticides commerciaux peu toxiques (voir page 90) comme l'huile horticole (a), le savon insecticide (b), le pyrèthre (c) et la roténone (d). On en trouve dans les centres de jardinage et les quincailleries. Utilisez-les avec parcimonie, car ils peuvent tuer les insectes prédateurs de pucerons.

Sus aux limaces !

En nombre restreint, les limaces sont utiles au jardin, car, en décomposant la matière organique, elles facilitent la formation de l'humus. Trop nombreuses, elles causent des torts considérables. Voici six façons de les éloigner.

1 Incorporez 2 cm de sable afin d'assécher le sol humide et compact comme l'argile. Les limaces sont constituées d'eau à 85 % et elles ont besoin de milieux humides pour se déplacer. Un sol sec les décourage, parce qu'elles doivent sécréter davantage de mucus, ce qui épuise leur réserve en eau.

2 Travaillez le sol finement pour réduire la formation de crevasses et de fissures où les limaces se réfugient pendant la journée. Pour ameublir le sol, incorporez du compost bien décomposé et de la chaux selon les indications du fabricant.

3 Créez des barrières abrasives et sèches autour des plants afin d'entraver le déplacement des limaces. Les coquilles d'œufs chauffées au four et broyées, le sable horticole sec, la poudre de roche (phosphate, basalte) ou un peu de cendre de bois dur sont très efficaces. Répétez l'application après une pluie.

4 Fournissez des abris aux prédateurs comme ce carabidé, friand de jeunes limaces, en posant ici et là des pierres dans le jardin.

5

6

5 Installez votre compostière loin du jardin, au sec et à la mi-ombre, en évitant les emplacements ombragés. Vous limiterez le déplacement des limaces, qui raffolent du compost, vers le jardin. Si vous construisez votre compostière, délaissez les briques et les blocs de ciment, car ils conservent l'humidité. Optez plutôt pour le bois (voir page 104).

6 Ne cultivez pas trop densément, car le feuillage des végétaux ombrage le sol et le maintient humide, créant ainsi un abri pour les limaces. Quand la rosée tombe, elles sont alors prêtes à dévorer leur nourriture.

MISE EN GARDE

• N'utilisez qu'en dernier recours de la bière dans des contenants enfouis dans le sol, comme on le recommande couramment. Cet appât piège et tue sans distinction vers de terre et insectes utiles nocturnes, dont les carabidés prédateurs de limaces !

• Ne posez pas de paillis au pied des végétaux quand les limaces vous causent des problèmes : il leur sert d'abri pendant la journée.

Éloignez les écureuils et les chats

En ville et en banlieue, les écureuils et les chats marquent leur territoire et le défendent farouchement : bulbes déterrés, têtes de plants coupées, excréments dans les plates-bandes. Voici des astuces écologiques pour les tenir à l'écart de votre terrain.

1 Plantez de l'absinthe ou de la rue aux abords de votre jardin et où ces animaux se prélassent. Leur odorat sensible est perturbé lorsque les huiles essentielles de ces plantes imprègnent leur pelage. Pour se débarrasser de ces parfums, ils se lèchent et en goûtent l'amertume. De quoi les décourager !

Absinthe
(*Artemesia absinthium*)

2 Évitez le sable à découvert et sec, qui peut devenir la litière préférée de chaton. Dans le carré de sable des enfants, déposez régulièrement des feuilles de sauge ou de romarin. Comme les chats détestent l'eau, maintenez le sable humide.

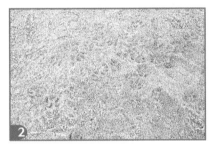

3 Installez des barrières comme du grillage à poulailler par-dessus vos bulbes de tulipe lors de la plantation. Les écureuils abdiquent devant cet obstacle infranchissable. Placez des filets autour de leurs plantes préférées : ils s'y empêtrent facilement.

4 Placez des quartiers de citron ou d'orange dans les endroits où les chats ont l'habitude d'aller. Ils détestent l'odeur persistante et le goût acide de ces fruits. Remplacez ces répulsifs après une pluie.

5

Cataire (*Nepeta cataria*)

6

5 Détournez les chats de vos plates-bandes préférées en plantant ailleurs de la valériane ou de la cataire. Ces plantes enivrent les chats, qui en redemandent. Vous les éloignez ainsi des aires aménagées.

6 Placez des bouteilles en verre remplies d'eau dans le jardin. Les chats voient leur image et leurs mouvements se refléter sur le verre et dans l'eau, ce qui peut les effrayer. Disposez 3 bouteilles par 20 m².

TRUC PRATIQUE

- Ajoutez des cailloux là où les chats et les écureuils aiment creuser.

- Attendez que votre chat ait fait ses besoins dans sa litière avant de le laisser sortir de la maison.

- Installez un gicleur avec détecteur de mouvement. Dès que l'animal passe devant cet appareil, le gicleur se met en marche et asperge d'eau l'intrus.

Chapitre 4
Des constructions utiles

Dans ce chapitre, nous vous proposons des constructions complémentaires à l'aménagement d'un jardin écologique. En les planifiant vous-même, vous les adaptez parfaitement bien à votre environnement. La plupart des projets ne demandent pas de grandes habiletés, mis à part la compostière, le trottoir de bois et la chambre froide. Consultez au besoin un menuisier professionnel.

Des constructions adaptées au jardin écologique

Parmi tous les projets de construction, nous faisons une place aux chauves-souris dans l'aménagement du jardin. Ces petits mammifères insectivores sont d'un grand secours dans la lutte contre les insectes. Attirez-les dans votre jardin durant l'été en leur construisant un abri. De plus, nous vous présentons une technique de jardinage qui utilise judicieusement l'espace : la culture en pyramide. Spectaculaire et de construction simple, la pyramide convient parfaitement aux petits jardins urbains. En ville, l'espace est une très grande contrainte. Contournez-la en exploitant la verticale avec le treillis et la pyramide.

En outre, nous vous expliquons comment construire une chambre froide qui laisse entrer le froid des mois de novembre à avril, ce qui suffit pour conserver vos légumes. Les longues pannes d'électricité auront alors des conséquences beaucoup moins dramatiques : vous disposerez d'un réfrigérateur de réserve !

Pour toutes ces constructions, nous vous recommandons d'employer des essences de bois non traité. Le choix du bois est essentiel dans un jardin écologique. Nous indiquons toutes les dimensions en pieds et en pouces, car la vaste majorité des matériaux de construction sont vendus en mesures impériales plutôt que métriques.

Dans les fiches de constructions utiles, les pièces de bois inscrites dans les encadrés « Matériaux nécessaires » font référence à leur appellation commerciale et non à leurs dimensions réelles. Par exemple, un « 2 X 4 » mesure en fait 1 $\frac{1}{2}$ X 3 $\frac{7}{16}$ po, et un « 2 X 2 », 1 $\frac{1}{2}$ X 1 $\frac{1}{2}$ po. Notez que nos plans tiennent compte des dimensions réelles du bois.

Le bois traité

Les champignons sont les principaux ennemis du bois, et la terre en regorge. Ils n'attendent qu'une planche humide, de la chaleur et un peu d'air pour détériorer progressivement votre construction. Pour enrayer ces champignons, l'industrie du bois a utilisé des agents de préservation, comme la créosote et le pentachlorophénol (PCP). Cependant, certaines recherches ont prouvé qu'ils étaient toxiques pour l'être humain. En conséquence, l'utilisation de ces deux fongicides se limite maintenant à des usages précis et requiert l'obtention d'un permis.

De nos jours, l'agent de préservation le plus utilisé est l'arséniate de cuivre et de chrome (ACC). On croyait que l'ACC était stable et peu toxique pour l'être humain et l'environnement. Or, lorsque le bois traité à l'ACC se trouve dans des conditions d'humidité et de chaleur, ses composants chimiques toxiques se dissolvent et se répandent dans l'environnement. Évitez donc l'emploi de bois traité au jardin, particulièrement près des plantes comestibles et dans la construction de compostières, de tables à pique-nique et de terrasses autour des piscines.

Les essences résistantes à la pourriture

Il existe des bois peu putrescibles, comme le cèdre de l'Est du Canada (*Thuja occidentalis*), le cèdre de l'Ouest du Canada (*Thuja plicata*), le mélèze (*Larix laricina*) et le chêne (*Quercus* spp.). Le coût de ces quatre essences est plus élevé que celui de l'épinette ou du pin, mais leur durée de vie est plus longue. Si vous ne les trouvez pas dans les grands centres de rénovation, recherchez-les auprès des cours à bois qui offrent des essences rares. Consultez les Pages Jaunes sous la rubrique «Bois de construction-Détaillants». Même si le cèdre de l'Est du Canada est une essence commune au Québec, il est très difficile à trouver dans les centres de rénovation et les cours à bois. Cependant, vous pouvez l'acheter dans certaines scieries au Québec. Si vous n'avez pas accès au cèdre ou aux autres essences peu putrescibles et souvent très coûteuses, utilisez de l'épinette en prenant soin de l'enduire d'huile de lin bouillie, ce qui ralentira le pourrissement du bois. Selon les projets, vous pouvez évidemment employer des retailles de planches d'épinette entreposées dans votre sous-sol ou votre garage.

À l'achat, vérifiez si les planches sont droites tant sur l'épaisseur que sur la largeur. Rejetez les planches tordues, fendillées ou éraflées. Les nœuds ne posent pas de problème à condition qu'ils soient solides et non fissurés.

Enfin, ce n'est pas la pluie qui tombe sur le bois qui le fait pourrir, mais plutôt la stagnation d'eau. Dans toutes vos constructions, prévoyez donc des pentes pour favoriser l'égouttement. De plus, évitez de créer des joints où l'eau pourrait s'accumuler. Déposez de préférence les pièces de bois des assises de vos constructions sur une base sèche et bien drainée, comme le sable ou la pierre concassée.

Fabriquez une caissette à semis

La meilleure caissette à semis, c'est celle qu'on fabrique soi-même en fonction de ses besoins. Des bouts de planches, quelques clous, un marteau, une équerre, une égoïne, un ruban à mesurer, et le tour est joué !

Coût approximatif: de 10 à 15 $
Temps requis: 1 heure
Dimensions hors tout: 5 X 16 X 33 po

Matériaux nécessaires
- 4 planches de cèdre ou d'épinette de 1 po X 4 po X 6 pi
- Clous vrillés et galvanisés de 2 po
- Pièce de coton de 16 X 31 po

1 Débitage du bois

2 supports d'aération de 1 X 1 X 14 po

2 planchettes d'embout de 1 X 4 X 12 ¹/₂ po

2 planches latérales de 1 X 4 X 33 po

4 planches de fond de 1 X 4 X 33 po

2 Assemblez le cadre. Clouez les 2 planches latérales aux 2 planchettes d'embout.

3 Fixez les planches du fond. Mettez le cadre d'équerre et maintenez-le ainsi à l'aide d'une entremise. N'enfoncez pas entièrement les clous de l'entremise. Clouez la première planche du fond, retirez l'entremise, puis fixez les autres planches.

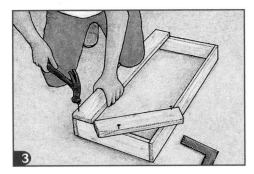

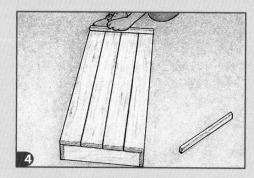

4 Posez les supports d'aération sous la caissette à l'aide de clous. Ces pièces, qui permettent à l'air de circuler tout autour de la caissette, préviennent le développement des moisissures.

5 Agrafez un tissu épais sous la caissette, entre les supports d'aération. Le tissu retient la poussière de terre et absorbe l'eau qui s'égoutte parfois lors d'arrosages trop abondants.

6 Disposez votre caissette près d'une fenêtre préférablement orientée vers le sud. Si la lumière est insuffisante, utilisez un éclairage d'appoint (voir page 132). Remplissez la caissette de terreau de base à semis (voir page 130) et semez à votre guise.

Cette caissette est conçue pour les semis, mais vous pouvez aussi l'employer pour y cultiver des petites pousses de verdure comestibles (voir page 134).

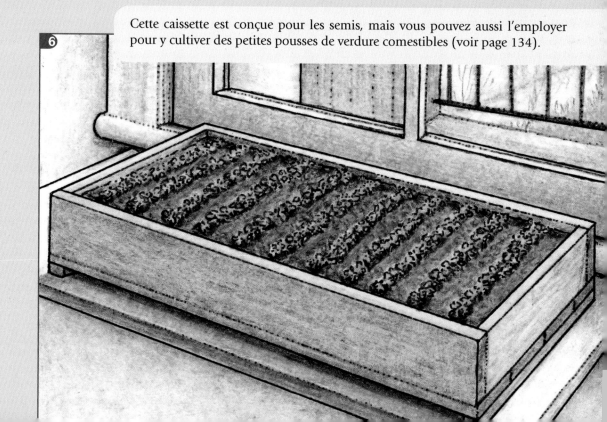

Construisez une compostière

La compostière en bois est de loin celle à privilégier en jardinage écologique. En effet, le bois a l'avantage de mieux laisser respirer le compost que les autres matériaux comme la brique, les blocs de ciment ou le plastique. Nous vous proposons un modèle pratique et efficace.

Coût approximatif : de 250 à 400 $ selon l'essence de bois
Temps requis : 15 heures
Dimensions hors tout : 36 X 36 $^3/_4$ X 109 $^1/_2$ po

Matériaux nécessaires
- 33 planches de cèdre de 1 po X 4 po X 12 pi
- 10 pièces de cèdre de 2 po X 2 po X 6 pi
- 1 pièce de cèdre de 2 po X 4 po X 9 pi
- Clous vrillés et galvanisés de 1 $^1/_2$, 2, 2 $^1/_2$ et 3 po
- 6 charnières de 3 $^1/_2$ po
- 36 vis en acier inoxydable

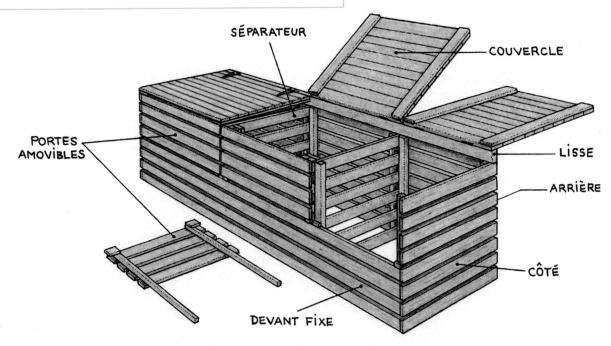

SÉPARATEUR

COUVERCLE

PORTES AMOVIBLES

LISSE

ARRIÈRE

CÔTÉ

DEVANT FIXE

Description

La compostière de 9 pi se divise en 3 compartiments dont les dimensions extérieures sont de 3 X 3 X 3 pi chacun. Les 3 couvercles sont indépendants les uns des autres. De plus, ils sont étanches, ce qui empêche la pluie de lessiver les éléments nutritifs du compost. Ils sont aussi légèrement inclinés afin de permettre à l'eau de s'égoutter. Les portes amovibles facilitent le transfert du compost d'un compartiment à l'autre. La compostière n'a pas de fond, ce qui permet aux organismes du sol de coloniser le tas de compost. Elle est suffisamment grande pour une famille de 4 personnes dont le terrain aménagé mesure environ 200 m². Si votre terrain est plus petit, optez pour une compostière de 6 pi, dont chacun des 3 compartiments mesure 3 X 3 X 2 pi, ou une compostière à 2 compartiments (voir page 73).

Débitage du bois

Le devant (partie fixe):
4 planches de 1 po X 4 po X 9 pi
6 montants de 2 X 2 X 33 1/4 po
6 pièces d'espacement de 3/4 X 3/4 X 1 1/2 po

L'arrière:
8 planches de 1 po X 4 po X 9 pi
6 montants de 2 X 2 X 33 1/4 po

Les côtés:
16 planches de 1 X 4 X 36 po

Les séparateurs de compartiments:
12 planches de 1 X 4 X 34 1/2 po

Les portes amovibles:
12 planches de 1 X 4 X 35 1/2 po
6 montants de 2 X 2 X 28 po
6 pièces d'arrêt de 1 X 4 X 3 po

Les couvercles:
30 planches de 1 X 4 X 36 po
6 planches de 1 X 4 X 35 po

Pour fixer les couvercles:
1 lisse de 2 po X 4 po X 9 pi

1 Assemblez la partie fixe du devant (le bas de la compostière). Placez par terre les 6 montants de 33 1/4 po distancés les uns des autres selon les indications du plan. À l'aide de clous de 2 1/2 po, fixez-y les 4 planches que vous ajourez aux 3/4 po. Posez les 6 pièces d'espacement des portes à l'aide de clous de 1 1/2 po (en médaillon).

2 Montez l'arrière. Déposez les 6 montants de 33 1/4 po par terre et espacez-les selon les indications du plan. À l'aide de clous de 2 1/2 po, clouez aux montants les 8 planches de 1 po X 4 po X 9 pi en les ajourant aux 3/4 po.

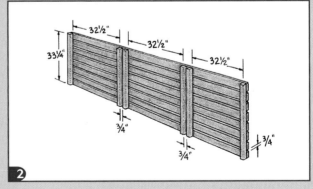

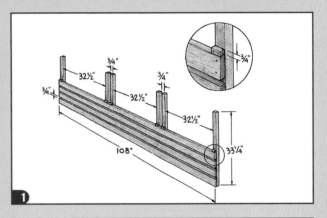

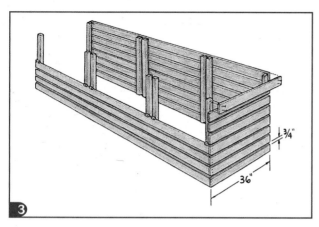

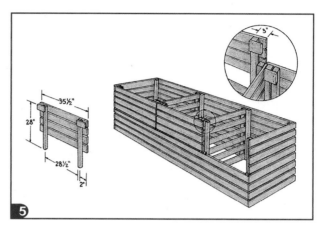

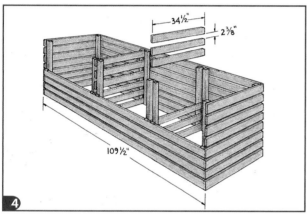

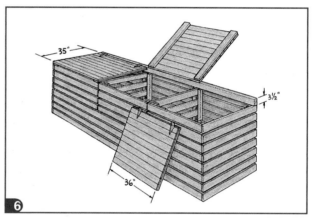

3 Clouez les 16 planches qui forment les 2 côtés à l'aide de clous de 2 ¹/₂ po. Ajourez-les aux ³/₄ po. Ces planches relient la partie fixe du devant à l'arrière.

4 Glissez les séparateurs entre les montants du devant et ceux de l'arrière. Ajourez les séparateurs selon les indications du plan et fixez-les aux montants à l'aide de clous de 3 po.

5 Construisez les 3 portes amovibles. Couchez 2 montants de 28 po au sol et espacez-les de 28 ¹/₂ po. Posez-y 4 planches de 35 ¹/₂ po, ajourez-les aux ³/₄ po, puis fixez-les à l'aide de clous de 2 po. Fixez les pièces d'arrêt aux montants à l'aide de clous de 2 po (médaillon). Répétez l'opération pour les 2 autres portes.

Posez la lisse de 9 pi sur la partie supérieure de l'arrière de la compostière à l'aide de clous de 3 po. Cette lisse sert à fixer le couvercle tout en lui donnant la pente suffisante pour faire égoutter l'eau de pluie.

Assemblez les 3 couvercles. Fixez 10 planches de 36 po à 2 planches de 35 po à l'aide de clous de 1 ¹/₂ po. Ne laissez aucun espace entre les planches afin que le couvercle soit étanche. Répétez l'opération pour les 2 autres couvercles.

6 Vissez les charnières dans les couvercles. Vissez-les ensuite dans la lisse.

Le choix d'une compostière commerciale

Le bricolage n'est pas votre fort ? Procurez-vous alors une compostière commerciale. Plusieurs modèles sont offerts sur le marché. Si vous avez un grand volume de résidus à composter, juxtaposez au moins 2 compostières : quand la première est pleine, transvidez le contenu dans la seconde, ce qui accélère la décomposition. Voici quelques conseils d'achat.

- Achetez de préférence une compostière en cèdre ou en mélèze. Magasinez : le prix d'une compostière en cèdre de 3 X 3 X 3 pi varie de 50 à 150 $.

- La compostière ne doit pas avoir de fond afin de permettre aux organismes du sol de coloniser les matériaux à composter.

- Si votre terrain est petit, optez pour une compostière carrée ou rectangulaire. Pour un même volume, celle-ci utilise mieux l'espace qu'une compostière ronde.

- Choisissez un modèle dont l'ouverture facilite le transfert du compost dans une autre compostière.

- Si vous ne pouvez utiliser qu'une seule compostière en raison d'un manque d'espace, recherchez un modèle équipé d'une porte basse, qui permet de prélever le compost mûr qui se trouve au fond. Assurez-vous qu'elle s'ouvre aisément.

- La compostière doit avoir des fentes d'aération pour favoriser l'oxygénation du compost.

- La compostière doit être munie d'un couvercle étanche, solide et légèrement incliné qui facilite l'égouttement de l'eau.

Construisez une chambre froide

Sans utiliser aucune source d'énergie, une chambre froide peut conserver les légumes d'une famille durant tout un hiver. Bien qu'un modèle de 3 X 6 X 7 pi suffise pour quatre personnes, nous proposons la construction d'une chambre froide plus spacieuse dans laquelle vous vous déplacez facilement.

Coût approximatif: 800 à 1 000 $
Temps requis: 35 heures
Dimensions hors tout: 6 X 8 X 8 pi

Matériaux nécessaires

- 1 tuyau de 3 po de diamètre X 10 pi
- 30 pièces d'épinette de 2 po X 4 po X 8 pi
- 2 panneaux de styromousse de 2 po X 2 pi X 8 pi
- 1 porte (de récupération), charnières et poignée

Laine isolante:

- 1 ballot de 23 po de largeur et de 3 $\frac{1}{2}$ po d'épaisseur, couvrant 140 pi^2 (13 m^2)
- 1 ballot de 15 po de largeur et de 3 $\frac{1}{2}$ po d'épaisseur, couvrant 62 pi^2 (5,8 m^2)
- 1 rouleau de pare-vapeur (pellicule plastique 6 mil) couvrant 200 pi^2 (18,6 m^2)
- 1 rouleau de papier brun d'emballage kraft de 30 po X 60 pi
  (en vente chez les marchands de fournitures de bureau)

Revêtement extérieur (au choix)

- 3 panneaux de placoplâtre de 4 X 8 pi ou
- 30 planches d'épinette de 1 po X 6 po X 8 pi

Revêtement intérieur

- 44 planches d'épinette de 1 po X 6 po X 8 pi
- Clous vrillés et galvanisés de 2, 2 $\frac{1}{2}$, 3 et 3 $\frac{1}{2}$ po

Pour des tablettes d'environ 15 po X 5 pi

- 8 pièces d'épinette de 2 po X 3 po X 8 pi
- 5 planches d'épinette de 1 po X 6 po X 10 pi
- Clous vrillés et galvanisés de 2 et 2 $\frac{1}{2}$ po

1 Déterminez l'emplacement de la chambre froide. Un coin du sous-sol ou un dessous de portique sont les deux meilleurs endroits pour situer une chambre froide. La construction de murs est ainsi réduite au minimum.

Percez 2 trous de 3 po de diamètre dans le haut des fondations ou dans la lisse, au-dessus de la ligne du sol. Utilisez une perceuse industrielle offerte dans les centres de location. Ces orifices facilitent l'évacuation des gaz provenant de la maturation des fruits et des légumes entreposés. Ils permettent également de maintenir la température de la chambre froide entre 2 et 6 °C, ce qui est idéal pour la conservation. Mesurez la température à l'aide d'un thermomètre placé près du sol et assurez-vous qu'elle est supérieure à 0 °C. Au besoin, bouchez les orifices avec des chiffons afin d'empêcher l'air extérieur trop froid d'entrer.

Fixez un tuyau flexible de 3 po de diamètre sur un des trous et laissez-le tomber sur le sol. Ce faisant, vous permettez à l'air froid de descendre dans la chambre froide. L'autre orifice servira à évacuer l'air plus chaud et vicié.

AIR CHAUD

AIR FROID

1

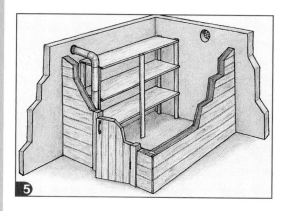

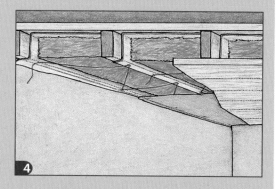

2 Construisez la charpente en pièces d'épinette de 2 X 4 po espacées aux 24 po centre. Prévoyez une porte qui ouvre vers l'extérieur de la chambre froide. Amenez-y l'électricité pour l'éclairage. Recouvrez d'un pare-vapeur les murs en contact avec l'air du sous-sol, puis fixez le placoplâtre ou les planches d'épinette sur la structure.

3 Isolez la chambre froide. À l'intérieur de la chambre froide, posez la laine isolante entre les 2 X 4. Pour éviter les retombées de poussière, couvrez les murs de papier kraft.

4 Isolez le plafond en fixant un pare-vapeur sous le plancher du rez-de-chaussée, puis posez la laine isolante que vous attachez aux solives à l'aide de ficelles. Couvrez le plafond de papier kraft pour éviter les retombées de poussière. Installez le revêtement intérieur sur les murs et au plafond. Employez des planches d'épinette ou, mieux, du cèdre de l'Est du Canada.

5 Fixez les tablettes qui recevront les légumes pendant la saison froide. Installez la porte, agrafez-y un pare-vapeur et isolez-la avec du styromousse de 2 po d'épaisseur.

6 Disposez vos légumes. Maintenez le taux d'humidité à environ 80 % en humectant les terreaux de conservation.

6

Plus besoin de vous déplacer à -30 °C pour aller chercher 2 kilos de carottes à l'épicerie ! La chambre froide vous permet d'avoir des produits frais à portée de la main.

Un treillis en 10 minutes

Vous désirez cacher un petit coin du jardin ou encore fabriquer un treillis pour y faire grimper des plantes? Voici une façon simple et rapide d'y arriver.

1 Plantez des bambous à la verticale. À l'aide d'une petite masse, enfoncez les bambous dans le sol à environ 30 cm de profondeur et espacez-les d'environ 30 cm. La longueur des bambous peut varier de 1 à 2,25 m. On trouve le bambou dans les centres de jardinage. Coût du treillis : de 10 à 50 $, selon la longueur des bambous.

2 Placez le bambou du bas. Faites-le glisser horizontalement en prenant bien soin de le passer en alternance devant et derrière chacun des bambous verticaux.

3 Glissez le bambou du milieu. Vous sentirez alors une tension qui servira à retenir toute la structure.

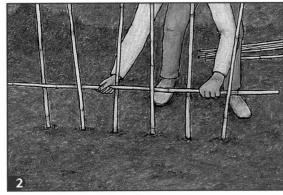

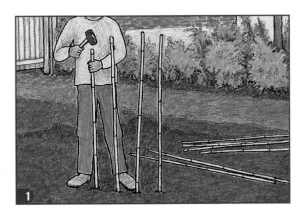

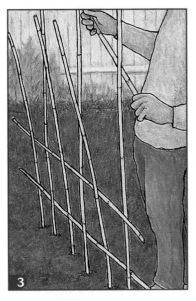

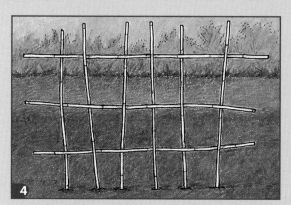

4 Insérez le dernier bambou horizontal. À cette étape, vous pouvez avoir besoin de l'aide d'une autre personne, parce que les tensions sont alors très fortes. Nul besoin de corde ou d'attaches pour maintenir la structure en place.

5 Semez vis-à-vis de chaque bambou vertical des haricots d'Espagne, comme sur l'illustration, ou encore des doliques, des gloires du matin, des thunbergies, des pois de senteur ou des cardinaux grimpants.

À l'automne, démontez ce treillis et rangez les bambous au sec. Si vous les laissez en place pendant l'hiver, ils se détérioreront et se déformeront rapidement. Le bambou ajoute une touche orientale aux jardins.

Le trottoir de bois

Par temps de pluie, pour circuler dans le jardin les pieds au sec, le trottoir de bois est idéal. Autre avantage : il permet d'exécuter certains travaux sans compacter le sol. Voici une technique simple de construction.

Coût approximatif : 100 $ pour un trottoir de 2 X 8 pi
Temps requis : 10 heures

Matériaux nécessaires
- Planches de cèdre de 1 X 4 po
- Pièces de cèdre de 2 X 4 po
- Clous vrillés et galvanisés de 2 ¹/₂, 3 et 3 ¹/₂ po
- Bardeaux de cèdre
- Sable au besoin

1 Aplanissez le sol. Délimitez la surface du trottoir. À l'aide d'une pelle et d'un râteau, égalisez le sol. S'il est compact et retient l'humidité, ajoutez du sable pour assurer le drainage autour des semelles.

2 Disposez les semelles et vérifiez le niveau. Couchez des pièces de cèdre de 2 X 4 po sur le sol bien drainé. Alignez-les, tracez les angles de coupe, puis taillez-les. Remettez les semelles au sol et vérifiez si elles s'assemblent bien. Fixez-les avec des clous de 3 ¹/₂ po. Les semelles doivent s'appuyer sur le sol sur toute leur longueur et être de niveau dans tous les sens. Ajoutez du sable au besoin.

3 Installez une pièce d'attache qui servira à ancrer le trottoir à un ouvrage déjà en place, par exemple à une terrasse.

4 Construisez le cadre à partir de l'ouvrage en place. Utilisez des pièces de cèdre de 2 X 4 po. Pour maintenir le cadre de niveau et à la hauteur désirée, clouez-le à des supports d'appoint qui prennent appui sur les semelles.

5 Fixez des traverses faites de pièces de cèdre de 2 X 4 po pour consolider le cadre et soutenir les planches de recouvrement; utilisez des clous de 3 ½ po. Espacez les traverses aux 12 po, centre à centre.

6 Posez les pattes permanentes. Remplacez les supports d'appoint par des pattes permanentes taillées dans des morceaux de cèdre de 2 X 4 po. Appuyez-les sur les semelles. Mettez-les de niveau en glissant des bardeaux de cèdre entre les pattes et les semelles, puis clouez-les.

7 Recouvrez la structure de planches de cèdre de 1 X 4 po. Pour bien répartir les joints, clouez la première planche au centre du trottoir, puis disposez les autres de chaque côté. Espacez-les à tous les ⅛ po. Fixez-les avec des clous de 2 ½ po.

8 Le bois de cèdre ne nécessite aucun agent de préservation. Un coup de balai ou de brosse suffit à son entretien. Au besoin, lavez-le à grande eau savonneuse par temps ensoleillé pour qu'il s'assèche rapidement. En vieillissant, le cèdre se teinte de gris et s'intègre harmonieusement au jardin. Le trottoir de bois légèrement surélevé s'adapte particulièrement bien aux platesbandes d'annuelles et de vivaces. Au potager, cependant, le trottoir doit absolument être au niveau du sol afin de vous faciliter le travail et vous éviter les maux de dos. Pour ce faire, creusez une tranchée suffisamment profonde et assurez-vous que le fond est très bien drainé.

Aménagez un sentier de paillis

Désirez-vous retrouver sous vos pieds l'agréable sensation d'une promenade en forêt? Alors, aménagez un sentier de paillis de cèdre. Voici comment procéder en six étapes dans un jardin dont le sol est humide.

Coût approximatif: 150 $ pour un sentier de 2 X 12 pi
Temps requis: 8 heures

Matériaux nécessaires
- 1 rouleau de géotextile imputrescible de 3 X 25 pi
- $\frac{1}{2}$ vg^3 de pierre concassée de $\frac{1}{4}$ po
- 8 sacs de paillis de cèdre
- Tous ces matériaux sont vendus dans les centres de jardinage.

1. Creusez une tranchée d'une profondeur de 20 cm sur toute la longueur du sentier projeté. La largeur varie selon vos besoins.

2. Tapissez le fond de la tranchée d'un textile imputrescible séparateur de sol. Ce matériau permet d'éviter le mélange inopportun du sol arable aux éléments qui viendront s'ajouter aux étapes suivantes.

3. Comblez la tranchée de 10 cm de pierre concassée de $\frac{1}{4}$ po. Égalisez-la au râteau. Compactez la pierre à l'aide d'un rouleau à pelouse ou en la piétinant. Comme le paillis de cèdre a tendance à retenir l'humidité du sol, l'ajout de pierre concassée aide à maintenir le sentier au sec.

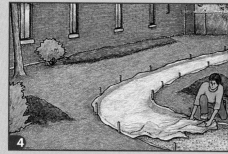

4 Étendez de nouveau une pièce de textile sépara-teur de sol par-dessus la pierre concassée.

5 Épandez 10 cm de paillis de cèdre sur le textile. Nivelez-le à l'aide d'un râteau de jardin. Ensuite, piétinez-le ou passez le rouleau à pelouse de façon à bien tasser le paillis.

6 Aplanissez les petites dénivellations au besoin en répartissant le paillis sur toute la surface du sentier à l'aide d'un râteau à feuilles. Passez de nouveau le rouleau à pelouse.

Ce sentier de paillis est très bien adapté aux jardins mi-ombragés. Sachez qu'il est aussi possible de créer un sentier de paillis de cèdre directement sur un sol sec, sous un érable de Norvège par exemple. Épandez alors de 5 à 10 cm de paillis sur le sol. Piétinez-le ou compactez-le à l'aide d'un rouleau à pelouse.

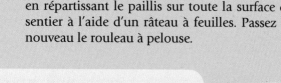

Attirez les chauves-souris

Pendant votre sommeil, les chauves-souris chassent pour vous les insectes, jouant ainsi un rôle important dans un jardin. Attirez-les en leur construisant un abri d'été.

Coût approximatif: 20 $
Temps requis: 4 heures
Dimensions hors tout: 9 X 12 ³/₄ X 26 po

Matériaux nécessaires
- 1 planche de pin de 1 po X 12 po X 10 pi
- Clous galvanisés de 1 ¹/₂ po
- Bardeaux de cèdre
- Teinture noire

Débitage du bois

Le devant: 11 ¹/₄ X 12 ¹/₂ po

Le dos: 11 ¹/₄ X 26 po

Les côtés: 5 ¹/₂ X 20 po
Notez les coupes à angle de 55°

Le toit: 8 ¹/₂ X 12 ³/₄ po

Le premier séparateur: 11 ¹/₄ X 16 ¹/₂ po

Le deuxième séparateur: 11 ¹/₄ X 14 po

1 Rendez les surfaces rugueuses. Pour que les chauves-souris puissent bien s'accrocher aux parois dans l'abri, faites des traits de scie sur la face intérieure du dos et du devant. Faites de même pour les 2 faces des séparateurs.

2 Assemblez les 2 côtés et le dos avec des clous galvanisés.

3 Placez des petits blocs de bois afin d'ajourer les séparateurs à distance égale.

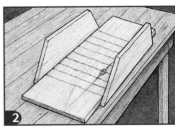

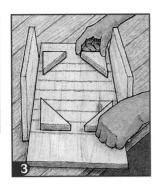

4 Fixez les séparateurs.

5 Fixez le devant avec des clous galvanisés et retirez les petits blocs de bois.

6 Clouez le toit et recouvrez-le de bardeaux de cèdre. Teignez le tout en noir.

7 Installez l'abri. Il doit recevoir au moins 6 heures d'ensoleillement par jour. Fixez-le à une hauteur de 5 mètres du sol. Situez-le près d'un plan d'eau ou encore près d'un jardin ou d'un boisé. L'extérieur noir a pour effet d'augmenter la chaleur tant appréciée des chauves-souris. Quelques années peuvent s'écouler avant que les chauves-souris ne viennent y élire domicile. L'abri d'été peut accueillir jusqu'à 30 chauves-souris.

MISE EN GARDE

Comme les chats, les chiens et les écureuils, les chauves-souris peuvent transmettre le virus de la rage. Pour éviter de contracter la rage, installez l'abri à la hauteur recommandée et évitez de toucher aux chauves-souris.

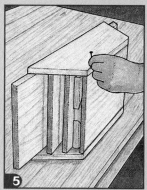

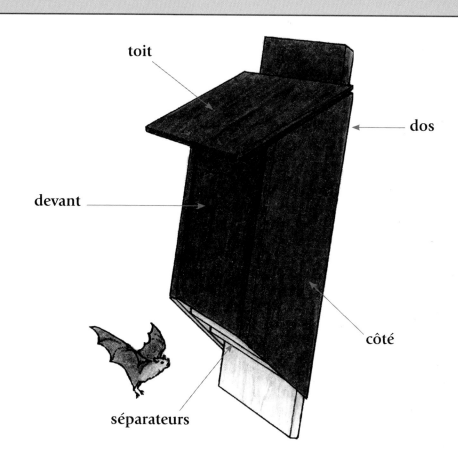

toit

dos

devant

côté

séparateurs

Construisez une jardinière

L'espace disponible pour cultiver en pleine terre est souvent restreint. Une jardinière de bonnes dimensions permet de contourner cette difficulté. Voici une construction simple, solide et qui résiste au temps.

Coût approximatif: 35 $
Temps requis: 5 heures
Dimensions hors tout: 11 po X 11 po X 6 pi

Matériaux nécessaires
- 4 pièces de cèdre de 2 po X 2 po X 6 pi
- 2 pièces de cèdre de 2 po X 2 po X 4 pi
- 10 planches de cèdre de 1 po X 4 po X 6 pi
- Clous vrillés et galvanisés de 2 et 3 $^1/_2$ po

1 **Débitage du bois**

4 lisses de 2 X 2 X 70 $^1/_2$ po

6 montants de 2 X 2 X 7 po

7 traverses de 2 X 2 X 6 po

9 planches de revêtement de 1 X 4 X 72 po

6 planchettes d'embout de 1 X 4 X 9 $^1/_2$ po

2 Assemblez le cadre du fond. À l'aide de clous de 3 $^1/_2$ po, clouez 2 lisses à 4 traverses espacées à intervalles réguliers.

3 Clouez les montants. À l'aide de clous de 3 $^1/_2$ po, fixez un montant de 7 po à chacun des coins du fond déjà assemblé.

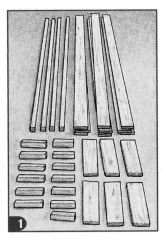

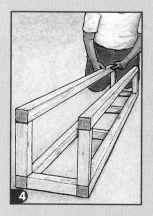

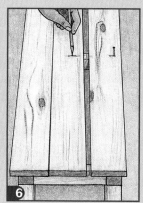

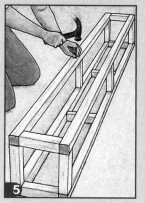

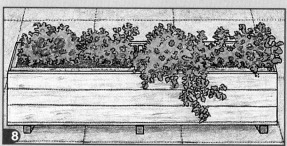

4 Posez les lisses du dessus. À l'aide de clous de 3 ½ po, fixez les 2 autres grandes lisses aux montants de 7 po, puis les 2 traverses de bout.

5 Consolidez la charpente. Renforcez la structure en installant, au centre des lisses, 2 montants de 7 po. Ici aussi, utilisez des clous de 3 ½ po.

6 Clouez le revêtement. Retournez la jardinière sens dessus dessous et clouez les planches de revêtement à l'aide de clous de 2 po. Ajourez les planches du dessous d'environ 1/16 po afin d'assurer un bon drainage. Pour éviter de clouer dans le vide, tracez au crayon les endroits où passent les traverses. À chaque extrémité de la jardinière, les planches de revêtement excèdent la structure de ¾ po. Normal: c'est le dégagement nécessaire dans lequel se caleront les planchettes d'embout.

7 Achevez le revêtement. À l'aide de clous de 2 po, fixez les planches de revêtement du derrière et du devant ainsi que les planchettes d'embout. Posez enfin une traverse de 6 po au milieu de la boîte afin de l'empêcher d'ouvrir sous le poids du terreau.

8 Pensez à l'aération. Fixez des pattes d'aération pour éviter que la jardinière ne pourrisse en reposant directement sur le sol. Mettez du gravier ou des éclats de pots de terre cuite au fond de la jardinière dans le but de faciliter le drainage.

Un jardin suspendu à un balcon ou à une galerie vous permet de cultiver légumes, fleurs, plantes aromatiques ou même médicinales. Tendez la main et profitez de votre récolte.

Cultivez en pyramide

On manque souvent d'espace pour cultiver toutes les plantes qu'on désire. La culture en pyramide, une technique simple et spectaculaire, vous permet d'utiliser judicieusement tous vos précieux mètres carrés de terrain.

Coût approximatif: 50 $
Temps requis: 7 heures
Dimensions hors tout: 3 X 3 X 4 pi

Matériaux nécessaires

• 2 pièces de cèdre de 2 po X 12 po X 12 pi
• 1 pièce de cèdre de 2 po X 12 po X 8 pi
• Clous vrillés et galvanisés de 3 ¹/₂ po

Débitage du bois

2 pièces de 2 po X 12 po X 4 pi
4 pièces de 2 po X 12 po X 3 pi
4 pièces de 2 po X 12 po X 2 pi
2 pièces de 2 po X 12 po X 1 pi

Dimensions des cadres

3 X 4 pi
2 X 3 pi
1 X 2 pi

1 Percez les pièces de bois et assemblez les cadres. Pratiquez des trous d'environ 2 po de diamètre. C'est par ces orifices que sortiront les jeunes pousses de pomme de terre à la recherche de la lumière. Assemblez les cadres à l'aide de clous.

2 Disposez le grand cadre sur le sol. Remplissez-le de terreau riche en compost. Placez une semence de pomme de terre près de chaque orifice.

3 Superposez les autres cadres et remplissez-les de terreau riche en compost. Dans chaque cadre, déposez les semences de pomme de terre.

4 Les pommes de terre germent. Trois semaines après le semis, les feuilles des plants de pommes de terre, attirées par la lumière, sortent des orifices.

5 Puis, les fleurs apparaissent et un immense bouquet décoratif, qui ne passe pas inaperçu, prend forme.

6 Récoltez les pommes de terre vers la fin de l'été à l'aide de la fourche à bêcher. Pour une même surface, cette technique produit de 2 à 3 fois plus de pommes de terre que la méthode traditionnelle de culture. Enlevez la terre des cadres, asséchez-les et rangez-les au sec pour l'hiver.

Beaucoup d'autres plantes peuvent être cultivées en pyramide. Certains réussissent même à y faire pousser des fraises ! À vous de jouer !

Chapitre 5
De la semence à la récolte

Nous accordons beaucoup d'importance à la qualité des semences. Le principe est simple : plus une semence est de qualité, plus les plants seront vigoureux. Dans la mesure du possible, nous recherchons des semences biologiques non traitées.

De la semence à la culture, vous trouverez ici des conseils pratiques pour obtenir un potager sain et prolifique.

La semence biologique non traitée

Cette semence est issue d'un plant cultivé selon des méthodes biologiques qui n'ont pas recours aux pesticides de synthèse. Le plant a poussé dans les conditions les plus propices ; il a développé une résistance aux maladies et aux attaques des ravageurs, et il a été fertilisé au meilleur des connaissances actuelles. La semence possède donc des caractéristiques qui garantissent sa vitalité. De plus, elle ne subit aucun traitement chimique. C'est pourquoi on dit qu'elle est biologique et non traitée.

Certains grainiers garantissent que leurs semences sont non traitées, mais ils ne mentionnent pas si elles sont issues de culture biologique. Vérifiez auprès de votre fournisseur.

Des semis au jardin

Dans ce chapitre, nous vous proposons la culture de légumes très populaires. Dans les premières fiches, nous vous indiquons comment effectuer vous-même vos semis en préparant le terreau de base et en utilisant adéquatement l'éclairage artificiel. Nous vous encourageons aussi à produire vos petites pousses vertes qui viendront enjoliver vos salades de fin d'hiver : une façon de commencer le jardinage plus tôt. Vous trouverez ensuite une série de fiches pratiques sur la culture de 18 plantes potagères. Elles sont classées par ordre alphabétique. À la section « Ressources » (page 175) figure une liste exhaustive des principaux grainiers au Canada et aux États-Unis. Nous expliquons également à la page 176 comment passer une commande chez un marchand de semences.

La semence traitée

L'industrie applique fréquemment des produits de synthèse, dont des fongicides, sur les semences, parce qu'ils empêchent la graine de pourrir durant la germination. En effet, plusieurs variétés ont tendance à pourrir dans certaines conditions de température et d'humidité. Pour résoudre ce problème, le jardinier qui désire utiliser des semences non traitées s'assure que le sol est bien drainé. De plus, il attend que le sol soit suffisamment réchauffé au printemps avant de procéder aux semis. Il peut aussi mettre en terre un nombre plus élevé de semences de façon à compenser les pertes dues à la pourriture.

Le désavantage des semences traitées n'est peut-être pas tant relié à la quantité de pesticides qui se retrouve sur une graine, mais bien à la généralisation de cette pratique dans l'industrie horticole : on augmente ainsi le volume de pesticides en circulation.

Des indications précises

Nous précisons dans chaque fiche le moment du semis, la technique d'ensemencement, la transplantation, l'entretien des plants, la fertilisation, la récolte et l'entreposage des légumes. De plus, nos recommandations sur la culture de chacune des espèces tiennent compte d'un bon travail du sol, d'une analyse de sol aux trois ans et du respect du plan de rotation des cultures. Enfin, vous trouverez des conseils sur l'utilisation judicieuse du compost et sur le contrôle de l'acidité du sol lorsque cela est nécessaire.

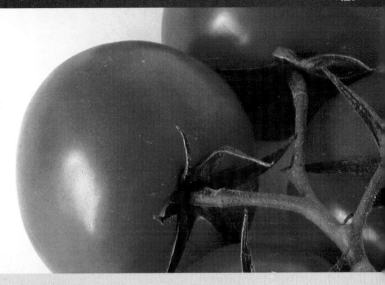

Et le compagnonnage ?

Selon cette théorie très populaire en jardinage écologique, certaines plantes potagères cultivées à proximité d'autres espèces favoriseraient leur croissance mutuelle. Dans les jardins de grande surface, il est possible de pratiquer le compagnonnage. Par contre, dans les jardins urbains et de banlieue, l'espace restreint et la grande quantité de variétés cultivées sur une petite surface rendent impossible la mise en application des lois du compagnonnage. Sa pratique devient alors un véritable casse-tête. Retenez plutôt la liste des mauvais compagnons (voir tableau) et laissez votre talent de jardinier s'exprimer. Peut-être découvrirez-vous que certaines plantes, qui ne semblaient pas être des alliées, seront heureuses de se retrouver dans le même lit de semences !

Les mauvais compagnons

pomme de terre	←→	aubergine, framboise, radis, tomate, tournesol, citrouille, épinard
oignon, ail	←→	haricot
fenouil	←→	fraise, tomate, pois, haricot, fève
tomate	←→	maïs, chou
pois, haricot, fève	←→	ail, oignon, poireau

Des conseils généraux pour la culture des légumes

Pour obtenir des plants résistants, semez de deux à trois fois plus de graines que le nombre de plants que vous désirez cultiver. Par exemple, si vous voulez faire pousser 12 plants de tomates, semez de 24 à 36 graines. Sauf indication contraire, une fois que les plants ont développé leurs deux premières vraies feuilles, choisissez les plus robustes. Ils seront plus résistants aux maladies et aux ravageurs, ce qui réduira le nombre d'interventions nécessaires pour les maintenir en santé une fois au jardin.

Acclimatez toujours les plants que vous avez cultivés à l'intérieur avant de les transplanter au jardin. En effet, les vitres empêchent les puissants rayons ultraviolets de les atteindre. Si vous les placez trop subitement au soleil, vous risquez de les brûler. De plus, comme il n'y a pas de vent à l'intérieur, les racines et la tige sont peu habituées à résister à cet élément. Exposez-les progressivement au soleil et au vent pendant une semaine. Au début de l'acclimatation, évitez le brûlant soleil de midi de même que les journées trop venteuses. Vos plants s'en porteront mieux. Si le temps est très chaud et très sec au moment de la transplantation, couvrez-les d'un tissu léger afin de les ombrager. Ces petits soins se traduiront fort probablement par d'abondantes récoltes.

Des semences hybrides ou non hybrides?

Depuis plusieurs années, l'industrie effectue des croisements entre les plants de différentes variétés afin d'obtenir des hybrides ayant de nouvelles caractéristiques: un meilleur rendement, une production hâtive, une forme, une couleur, un goût différents ou une plus forte résistance à un insecte ravageur, à une maladie. Par exemple, certaines variétés hybrides de concombre résistent au mildiou, au virus de la mosaïque et à la flétrissure bactérienne. Cependant, la prolifération des semences de variétés hybrides pose un problème qui inquiète plusieurs organismes dans le monde, dont le Programme semencier du patrimoine, au Québec: la disparition des anciennes variétés sur le marché.

Dans certains cas, comme celui du chou-fleur, plus de 50 % des variétés offertes il y a 10 ans ne sont plus vendues aujourd'hui. La diminution du nombre de variétés peut avoir des conséquences majeures sur la survie de certains peuples à l'heure où d'importants changements climatiques transforment le globe. En effet, ces semences, cultivées depuis des millénaires dans des conditions diverses et parfois extrêmes, peuvent s'adapter plus facilement aux changements de climat, ce qui n'est pas nécessairement le cas des variétés hybrides. Comment pourront alors se nourrir les populations aux prises avec ces problèmes?

De plus, le jardinier ne peut récolter les semences hybrides pour les semer d'année en année, parce qu'elles perdent rapidement leurs caractéristiques. Par exemple, un poivron noir peut devenir noir et vert la seconde année, puis vert la troisième année. Par conséquent, le consommateur devient dépendant de la mise en marché des variétés hybrides et il doit constamment acheter de nouvelles semences. Les variétés anciennes non hybrides ont le grand avantage de pouvoir être récoltées et semées à nouveau. Cependant, sachez que vous devez éloigner les variétés d'une même espèce, sinon les insectes pollinisateurs provoqueront des croisements entre ces variétés, ce qui produira des semences hybrides. Par exemple, il est nécessaire d'espacer de 1 km^2 des variétés différentes de concombre. Vous comprendrez que cela pose des difficultés en milieu urbain! Par contre, dans le cas de la tomate, 5 m suffisent. Pour plus d'information à ce sujet, consultez le livre *Seed to Seed* (voir bibliographie page 180).

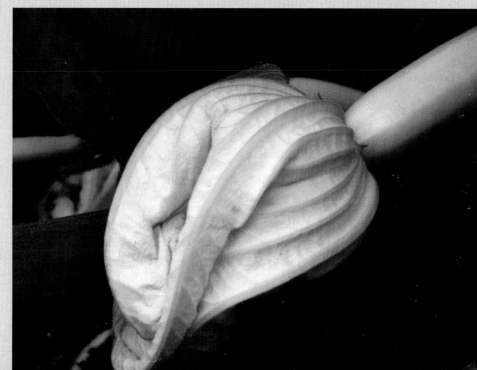

Le terreau de base à semis

Plusieurs recettes de terreau conviennent aux semis. Voici les ingrédients qu'on rencontre habituellement dans les terreaux, leurs avantages, leurs inconvénients et une recette de base.

1 **Le compost** très décomposé est l'ingrédient le plus important du terreau à semis. Il nourrit la plante et retient l'eau. Certains jardiniers font germer et croître leurs vivaces dans un terreau constitué uniquement de très vieux compost décomposé.

2 **Le sable horticole** ou le sable grossier lavé est utile, car il favorise le développement des racines et leur pénétration dans le terreau. Il assure le drainage, prévenant ainsi les maladies fongiques. On peut le remplacer par du granite broyé.

3 **La vermiculite** est du mica éclaté à haute température. On l'utilise pour alléger le terreau et absorber l'eau essentielle à la germination. Comme des combustibles fossiles sont employés pour sa fabrication, évitez d'en faire un usage abusif.

4 **La perlite** est composée de roche volcanique chauffée à haute température. Elle facilite le drainage, ce qui aide les plantes qui ont besoin d'assèchement entre les arrosages. Employez-la avec parcimonie, car on utilise aussi des combustibles fossiles pour la chauffer. Cependant, comme elle est plus légère que le sable, elle peut être utile pour alléger le terreau dans les pots déposés sur un balcon.

5 **La mousse de tourbe** prend des milliers d'années à se former. Extraite de lacs qui ont vieilli au point d'être couverts de végétaux, la tourbe résulte de la lente décomposition des plantes dans l'eau, en absence d'oxygène. Utilisez-la avec discernement pour acidifier le terreau.

6 **La terre à jardin** peut être un constituant du terreau, à condition de la stériliser au four à 80 °C pendant 20 minutes. Des odeurs désagréables et la faible quantité qu'on peut ainsi traiter rendent cependant l'opération fastidieuse.

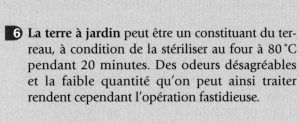

7 **Une recette de base**. Il n'est pas toujours indispensable de distinguer le terreau de germination du terreau de croissance. La recette suivante est très riche pour la germination, et elle peut être réutilisée plusieurs fois. Mélangez 55 % de compost, 35 % de vermiculite et 10 % de sable.

L'éclairage artificiel des semis

Comme les semis ont besoin d'environ 16 heures d'ensoleillement par jour au début de leur croissance, un éclairage d'appoint est nécessaire, surtout en hiver, quand le soleil est avare de ses rayons. Une plantule qui manque de lumière devient jaunâtre, s'étiole et s'affaisse.

Elle est alors vulnérable aux maladies et aux insectes. Recherchez d'abord le maximum d'éclairage naturel en disposant vos contenants à semis près d'une fenêtre orientée vers le sud. Cette lumière comprend tout le spectre lumineux nécessaire aux plantules. Pour pallier le manque de lumière naturelle, voici quelques conseils pour le choix et l'utilisation des différents types d'éclairage d'appoint.

1 **Le fluorescent d'atelier** constitue une source intéressante d'éclairage d'appoint à prix très abordable. C'est notre premier choix. Il produit une lumière qui dérange peu le jardinier. Vous pouvez vous procurer des tubes à large spectre lumineux, spécialement conçus pour les semis. Ils sont cependant très coûteux (de 20 à 25 $ l'unité). Installez plutôt 2 fluorescents ordinaires dans chaque boîtier : 1 *Warm White* (6 $) et 1 *Cool White* ou *Daylight* (4 $). Vous obtiendrez d'excellents résultats. Le *Warm White* procure la lumière orange-rouge et le *Cool White*, le violet-bleu. Choisissez des fluorescents d'au moins 4 pi, car la lumière à l'extrémité des tubes est plus faible qu'au centre et parce qu'elle chute rapidement à mesure que le tube vieillit. La durée de vie d'un tube fluorescent est de 10 000 à 20 000 heures. Les boîtiers sont vendus dans les centres de jardinage et les quincailleries et coûtent de 30 à 40 $, tubes fluorescents en sus.

2 **Suspendez le fluorescent** à l'aide de chaînes. Comme ce tube demeure plutôt froid, contrairement aux autres types d'éclairage, vous pouvez le rapprocher jusqu'à 5 cm des semis. Les chaînes permettent de régler la hauteur du tube au rythme de la croissance des plants.

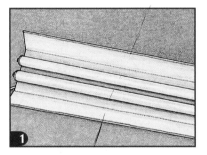

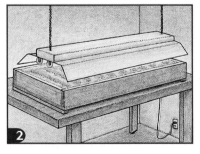

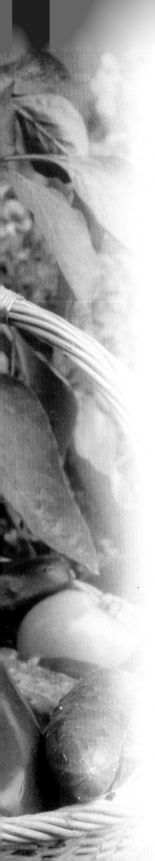

3 **Prenez soin de votre installation** pour obtenir de meilleurs rendements. Nettoyez régulièrement les tubes éteints à l'aide d'un chiffon humide. Pour vous assurer d'une intensité lumineuse maximale, changez les tubes à tous les quatre ans. Servez-vous d'une minuterie pour faciliter la gestion du temps d'éclairage. Pour plus d'efficacité, ajoutez des surfaces réfléchissantes telles que des miroirs ou des panneaux blancs mats.

D'autres types d'éclairage

4 **L'ampoule à incandescence**, spécialement conçue pour l'éclairage des plantes, est utilisée quand l'espace trop restreint ne vous permet pas d'installer un autre type d'éclairage artificiel. Cette ampoule énergivore réchauffe l'air ambiant, assèche le terreau et peut provoquer la fonte des semis. Pour contourner ces problèmes, disposez vos contenants à semis dans un lieu aéré et vérifiez fréquemment le taux d'humidité du terreau.

5 **La lampe à haute pression au sodium** produit un éclairage jaune comme celui des lampadaires de rue. Elle donne d'excellents résultats pour la culture des plantes à fleurs et à fruits. Elle nécessite peu d'énergie, et sa durée de vie est de 24 000 heures. Une lampe de 400 watts fournit l'éclairage suffisant pour une surface de 6 m². Elle procure un éclairage très brillant qui peut vous incommoder lorsque vous faites vos semis. Évitez de regarder directement la source lumineuse. Coût : 400 watts, 275 $; 1 000 watts, 435 $.

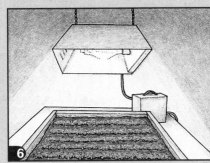

6 **La lampe à haute intensité lumineuse** utilise une ampoule à base d'halogénure de métal (*metal halide*). Contrairement aux autres éclairages d'appoint, ce type de lampe fournit un éclairage semblable à celui de la lumière naturelle. Cependant, il produit des rayons ultraviolets qui peuvent être dommageables aux yeux et à la peau. Portez des lunettes de soleil et des vêtements épais quand vous travaillez près de cette source lumineuse. Cette lampe n'est pas aussi efficace sur le plan énergétique que celle à haute pression au sodium. Une ampoule de 1 000 watts équivaut à 50 tubes fluorescents. On utilise cette lampe pour les semis, mais son intensité lumineuse permet aussi la culture intérieure de légumes, d'herbes et de plantes à fleurs. Attention : ne la heurtez pas pendant qu'elle est allumée, car elle risque d'exploser. Coût : 400 watts, 425 $; 1 000 watts, 500 $.

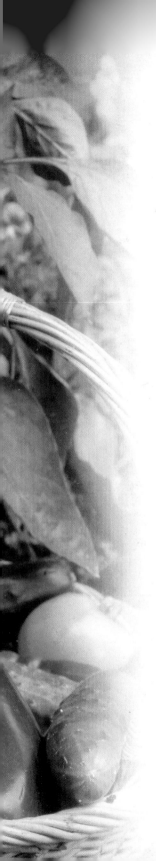

Les petites pousses

Au Québec, la saison de culture est très courte. Contournez cette difficulté : faites germer et croître de savoureuses petites pousses de légumes près de votre fenêtre.

1 Choisissez une fenêtre ensoleillée et orientée vers le sud. Même si vous devez recourir à un éclairage d'appoint (voir page 132), la lumière du soleil est toujours celle que préfèrent les légumes.

2 Remplissez le contenant de 7 cm de terreau de base. Ce terreau est assez riche pour la germination et la croissance des pousses pendant 3 mois.

3 Semez densément, puis éclaircissez en récoltant les pousses. Laitue à feuille de chêne, mâche, roquette, cresson, radis, chou chinois, sarrasin, ciboulette, bette à carde et tournesol : voilà quelques plantes qui poussent bien durant l'hiver. Achetez des semences non traitées chez les grainiers spécialisés, les marchands d'aliments naturels et dans les centres de jardinage.

4 **Identifiez** les pousses à l'aide de bâtonnets. Ici, les bébés roquettes. Si vous observez un début de fonte des semis (voir page 85), éclaircissez les plants pour accélérer l'assèchement du terreau.

5 **Plantez des capucines** et goûtez leurs feuilles légèrement piquantes lorsqu'elles sont cueillies jeunes. Plus tard, leurs fleurs apportent à vos plats d'hiver et de printemps de magnifiques touches de couleurs.

6 **Plantez dans le terreau** les betteraves et les oignons trop petits pour être consommés. Ils produisent de petites feuilles savoureuses qui accompagnent vos recettes d'hiver et vos crudités printanières.

7 **Récoltez** en coupant la base des plants à l'aide de ciseaux. Rincez le feuillage pour enlever les débris. Retirez les racines et mettez-les au compost. Rajoutez du terreau dans le contenant et semez de nouveau.

TRUC PRATIQUE

Accélérez la croissance de vos pousses en les arrosant à l'eau tiède, à une température d'environ 5 °C de plus que celle de l'air ambiant. Au besoin, arrosez vos plants avec de l'émulsion d'algues pour soutenir une croissance plus vigoureuse de vos pousses.

L'ail

On plante l'ail (*Allium sativum*) à l'automne et on le récolte l'été suivant. Outre ses propriétés culinaires et médicinales, l'ail aide les jardiniers à combattre certains insectes ravageurs. Profitez de ses vertus en lui faisant une place au potager.

L'automne

1 **Détachez les caïeux** d'un bulbe exempt de maladie que vous achetez dans les centres de jardinage ou commandez dans les catalogues de semences. Choisissez les caïeux du pourtour et délaissez ceux du centre, trop petits.

2 **Semez**. Quatre semaines avant le premier gel d'automne, bêchez le sol et ajoutez du compost bien décomposé. L'ail se cultive dans la parcelle II, celle des végétaux moyennement exigeants (voir page 32). Enfoncez les caïeux la pointe vers le haut à 1,5 cm de profondeur. Espacez à tous les 7 cm et laissez 25 cm entre les rangs.

3 **Protégez vos plants** des rigueurs de l'hiver en les couvrant de 30 cm de feuilles mortes. Retirez cette protection dès la fonte des neiges. L'ail est maintenant prêt pour sa croissance et sa maturation qui demandent peu de soin, sauf un binage superficiel pour enlever les herbes indésirables.

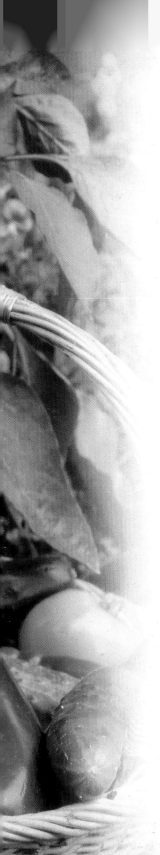

L'été

4 **Récoltez.** Vers la fin de juillet, avant la floraison, rabattez les tiges quand le feuillage commence à jaunir. Deux semaines plus tard, récoltez l'ail par temps sec quand le tiers du feuillage a jauni. Coupez la tige de l'ail à tige dure ou tressez l'ail à tige tendre si le cœur vous en dit.

5 **Conservez** l'ail dans des sacs en papier ou encore dans des contenants en terre cuite. L'ail se conserve plusieurs mois à des températures de 2 à 5 °C et à un taux d'humidité de 65 %. Évitez le réfrigérateur : l'air y est trop humide.

L'asperge

Cultiver des asperges (*Asparagus officinalis*) demande de la planification, car la première récolte a lieu trois ans après le semis. Mais si vous êtes patient, vous obtiendrez des asperges, un légume vivace, pendant une quinzaine d'années !

Première année

1 Semez à l'intérieur. En mars, trempez les semences dans l'eau pendant 24 heures. Dans des pots de 500 ml remplis du terreau de base (voir page 130), enfoncez 4 graines à 2,5 cm de profondeur et espacez-les de 2 cm. Éclaircissez à 1 plant par pot.

2 Transplantez. À la fin de juin, transplantez dans un sol bien drainé et riche en compost bien décomposé. Les plants pousseront à cet endroit pendant 1 an pour développer leurs racines (griffes). Vous pouvez aussi acheter des griffes dans les centres de jardinage.

Deuxième année

3 Creusez une tranchée d'environ 20 cm de profondeur et de 40 cm de largeur à la mi-mai. Choisissez un endroit ensoleillé à l'écart du potager. Ameublissez le fond. Mélangez à la terre d'excavation 10 cm de compost décomposé et du sable grossier au besoin. Couvrez le fond de 15 cm de ce mélange.

4 Fertilisez en incorporant du phosphore et du potassium selon votre analyse de sol. Un bon drainage et des ajouts réguliers de compost donnent d'excellents résultats. Espacez les rangs de 1,5 m.

5 **Transplantez les griffes** en les déposant à tous les 30 cm sur le sol préparé et couvrez-les de terre. Au fur et à mesure que les turions (jeunes pousses) croissent, remplissez la tranchée jusqu'au niveau du sol. Foulez la terre sans compacter. Maintenez humide.

6 **Paillez et entretenez.** Si le sol s'assèche, arrosez le pied des asperges et épandez un paillis de 10 à 15 cm de compost moyennement décomposé. Les asperges exigent une humidité constante. Faites faire une analyse de sol (voir page 20) si vous n'êtes pas satisfait de vos rendements.

Troisième année

Ne récoltez pas les jeunes pousses. Laissez les asperges produire leur feuillage, elles accumuleront suffisamment d'énergie dans leurs racines pour donner de beaux turions l'année suivante.

Quatrième année

7 **Récoltez au printemps,** 2 ans après la transplantation des griffes, en coupant les turions à l'aide d'un couteau à 2 cm sous le niveau du sol. Cueillez les asperges plus grosses qu'un crayon pendant 2 à 4 semaines. Les années suivantes, la cueillette s'étale sur 8 à 10 semaines. Il ne reste plus qu'à les faire cuire, debout.

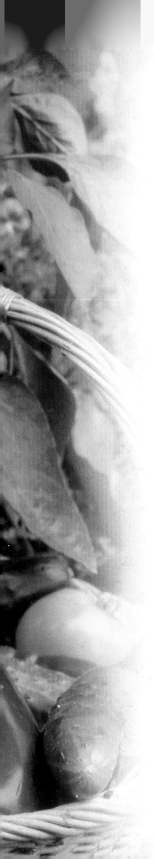

L'aubergine

L'aubergine (*Solanum melongena*) s'adapte très bien aux petits jardins, parce qu'elle produit beaucoup de fruits et occupe peu d'espace. Voici sept conseils pour sa culture.

1 **Semez** l'aubergine à l'intérieur au début de mars. Dans le terreau de base (voir page 130), déposez les graines à tous les 1 à 1,5 cm et recouvrez-les de 0,5 cm de terre. Exposez-les à la lumière 16 heures par jour en utilisant un éclairage d'appoint (voir page 132).

2 **Repiquez** chacune des plantules dans un pot de 10 cm de diamètre quand elles comptent 4 vraies feuilles. Ne repiquez pas en caissette : les racines d'aubergine sont fragiles et, quand elles sont développées, supportent mal d'être divisées pour la transplantation au jardin.

3 **Arrosez et soignez.** Après le repiquage, maintenez le terreau humide, mais non détrempé. Quand l'aubergine croît, 12 heures de lumière par jour lui suffisent. Si le feuillage a tendance à jaunir, vaporisez-le d'une solution à base d'émulsion d'algues ou de poisson (voir page 83).

4 **Ameublissez le sol** à la fourche à bêcher et incorporez 3 cm de compost mûr. L'aubergine se cultive dans la parcelle I, celle des végétaux exigeants (voir page 32).

5 **Transplantez** quand la température nocturne minimale est d'environ 10 °C. Imbibez d'eau le terreau du pot, attendez 15 minutes, puis renversez-le en maintenant la plante entre vos doigts. Mettez en terre de sorte que les racines soient de 5 à 10 cm sous le niveau du sol.

6 **Ajoutez du compost frais.** Pendant sa croissance, l'aubergine exige beaucoup d'éléments nutritifs. Épandez du compost frais ou moyennement décomposé à la base du plant. On peut de plus appliquer des fertilisants fabriqués à l'aide de plantes (voir page 80).

7 **Récoltez** en prenant soin de couper la queue du fruit avec un sécateur. Cela évite de blesser la tige principale. L'aubergine se conserve de 1 à 2 semaines à une température de 10 à 15 °C et à un taux d'humidité de 80 à 90 %.

Choisissez les variétés qui donnent de petites aubergines : elles sont souvent moins amères que les grosses et elles n'ont pas besoin d'être dégorgées avant la cuisson.

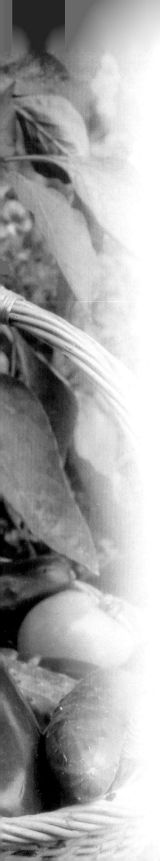

La bette à carde

La bette à carde (*Beta vulgaris* var. *cicla*) est très décorative et elle tolère le froid. Profitez à souhait de son goût semblable à celui de l'épinard : elle produit une récolte continue pendant toute la saison de jardinage.

1 Bêchez le sol 2 semaines avant le dernier gel printanier. Incorporez 5 cm de compost décomposé et corrigez le pH si nécessaire (voir page 21). La bette pousse au soleil ou à la mi-ombre. Cultivez-la dans la parcelle II, celle des végétaux moyennement exigeants (voir page 32).

2 Semez lorsque les risques de gel sont passés. Dans des sillons de 1,5 cm de profondeur et espacés de 75 cm, déposez les semences aux 2,5 cm. Couvrez de terre. Il existe plusieurs cultivars de bette à carde : à feuilles vertes ou rouges et à tiges blanches, rouges ou jaunes.

3 Éclaircissez aux 20 cm quand les feuilles des plants se touchent. Récupérez ces feuilles savoureuses et ajoutez-les à vos salades.

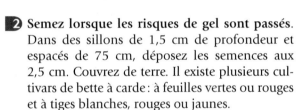

4 Arrosez la bette à carde si le temps est sec et vous la verrez développer des feuilles luxuriantes.

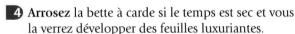

5 **Contrôlez la mineuse**. Si vous observez un amincissement et un brunissement de la feuille, c'est souvent qu'elle a été dévorée par la larve de la mineuse. Pour l'éliminer, écrasez à la main les cocons blancs qui se trouvent à l'envers des feuilles.

6 **Récoltez les feuilles extérieures** en les coupant à l'aide d'un sécateur ou en appuyant sur la tige vers le sol. N'attendez pas que les feuilles soient trop grosses : leur goût est plus amer. Une fois lavées, réfrigérez dans des sacs en plastique perforés.

MISE EN GARDE

Attention ! Si elle manque de lumière et qu'elle est trop fertilisée en azote, la bette à carde peut contenir des nitrates qui sont reliés à certains problèmes de santé.

Le brocoli

Goûter au brocoli (*Brassica oleracea* var. *botrytis*) fraîchement cueilli et sauté au wok, admirer son vert perçant tout en sentant sa douce odeur, il n'en faut pas plus pour désirer le faire pousser dans son potager. Sept conseils pour bien le réussir.

1 **Semez à l'intérieur.** Huit semaines avant le dernier gel printanier, déposez les semences dans le terreau de base (voir page 130) à 0,5 cm de profondeur et à une distance d'environ 3 cm. Placez les semis sous une source de lumière vive (voir page 132), car le brocoli germe rapidement et a tendance à s'étioler.

2 **Retirez les plantules.** En prenant la plantule par les feuilles, soulevez les racines avec une cuillère en acier inoxydable ou un transplantoir.

3 **Repiquez.** Enfouissez la plantule jusqu'aux premières feuilles de façon que la tige soit bien droite. Vous pouvez repiquer une douzaine de plants dans une caissette de 15 X 30 cm (6 X 12 po) remplie du terreau de base.

4 **Arrosez** bien les plantules le matin, parce que l'évaporation est plus grande pendant la journée. Maintenez humide, mais non détrempé. En fin de soirée, si le terreau est sec, arrosez un peu ; évitez les arrosages abondants, car il y a moins d'évaporation durant la nuit.

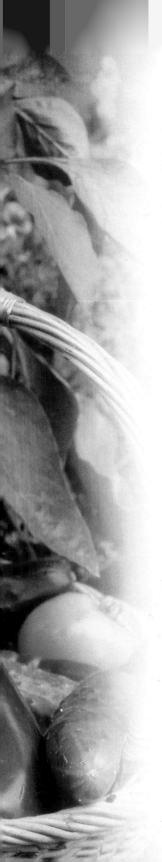

5 **Préparez le sol**. Ameublissez-le avec la fourche à bêcher, car le brocoli préfère un sol riche et bien drainé. Incorporez au sol une couche de 2 à 3 cm de compost bien décomposé. Le brocoli se cultive dans la parcelle II, celle des végétaux moyennement exigeants (voir page 32).

6 **Transplantez**. Après le dernier gel printanier, enfouissez bien le plant dans le sol jusqu'aux premières feuilles. Sinon, la tige aura tendance, sous le poids des grosses feuilles et du fruit, à s'incliner vers le sol, réduisant ainsi la montée de sève.

7 **Protégez et récoltez**. Pour contrer la piéride du chou, juxtaposez aux brocolis de l'hysope (voir page 87). En cas d'infestation, couvrez les plants d'une toile légère ou utilisez le Bt (voir page 90). Récoltez à l'aide d'un couteau. N'arrachez pas le plant, car d'autres bouquets se formeront aux aisselles des feuilles de la tige principale.

Conservez au réfrigérateur vos précieux brocolis à des températures proches du point de congélation en les scellant sous pellicule plastique ou sous verre.

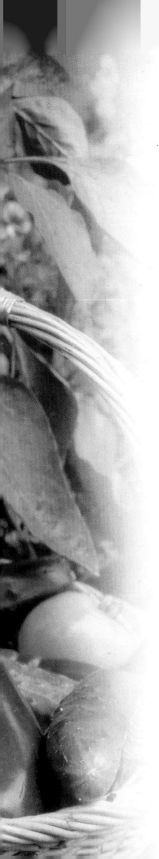

La carotte

Compact et riche en azote, le sol donne des carottes (*Daucus carota* var. *sativus*) à pattes chevelues peu alléchantes sur la table! Voici cinq étapes pour produire des carottes bien formées, sucrées et savoureuses.

1 **Préparez le sol** dès qu'il est ressuyé au printemps. Cultivez la carotte dans un sol bien drainé, avec les végétaux peu exigeants de la parcelle III (voir page 32). Si votre sol argileux est compact, incorporez 2 à 4 cm de sable grossier et 0,5 cm de gypse agricole sur la surface à cultiver. Évitez les apports d'azote (voir page 82).

2 **Semez** les graines dans un sillon à tous les 1 cm et recouvrez-les de 1 cm de terre. Espacez les sillons de 20 à 30 cm. Arrosez de façon à maintenir le sol humide et frais. Les graines germent lentement en 21 à 45 jours.

3 **Éclaircissez** quand les plants ont 10 cm de hauteur de façon à les espacer aux 2,5 cm. Effectuez ce travail par temps humide et couvert, et évitez ainsi l'assèchement des racines exposées à l'air. Enlevez les herbes indésirables à la main, puis arrosez les plants.

La carotte la plus savoureuse au monde demeurera toujours celle qu'on récolte de son jardin, qu'on passe sous l'eau et qu'on croque sur-le-champ!

4 **Buttez** les carottes dénudées, sinon elles deviendront vertes et amères. De plus, elles sont une offre alléchante pour la mouche de la carotte, qui pond ses œufs autour du collet: au moment de la récolte, vous observerez, déçu, que les larves les ont grignotées avant vous!

5 **Récoltez** en empoignant solidement la base des feuilles. Tirez. Si le sol est compact, utilisez la fourche à bêcher. La carotte d'hiver se conserve pendant des mois à une température de 1 à 5 °C et à un taux d'humidité de 90 % dans du sable humide, de la sciure de bois dur, des feuilles d'automne ou dans un sac en plastique troué.

Le concombre

Le concombre (*Cucumis sativus*) croît bien sur treillis : il occupe peu de place, il est moins sensible aux maladies dues aux champignons, et ses fruits ont une forme parfaitement élancée. Voici quelques conseils pour améliorer vos récoltes !

1 **Bêchez le sol** et incorporez-y 10 cm de compost décomposé. On cultive le concombre dans la parcelle I, celle des végétaux exigeants (voir page 32). Une ou deux cuillerées de cendre de bois dur par plant aident à la fructification. Le concombre aime la mi-ombre.

2 **Semez**. Après le dernier gel printanier, déposez en pleine terre à tous les 30 cm un groupe de 4 à 6 graines espacées de 5 cm. Recouvrez-les de 2 cm de terre. Ou, 3 semaines avant le dernier gel printanier, semez à l'intérieur dans des pots individuels de 500 ml. Transplantez au jardin à tous les 30 cm.

3 **Éclaircissez** en pinçant ou en coupant la base des tiges quand les plantules ont de 4 à 6 vraies feuilles. Ne gardez qu'un plant vigoureux à tous les 30 cm.

4 **Taillez l'extrémité** de la tige principale lorsque celle-ci a développé 6 feuilles. Répétez l'opération lorsque les tiges latérales portent à leur tour 6 feuilles. Cette technique réduit le nombre de concombres, mais elle garantit le mûrissement complet des fruits.

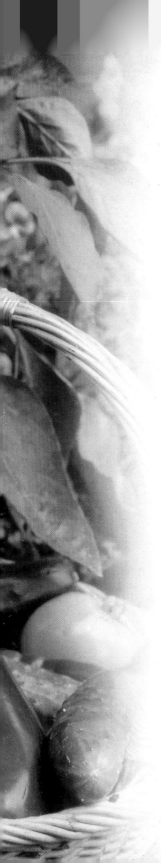

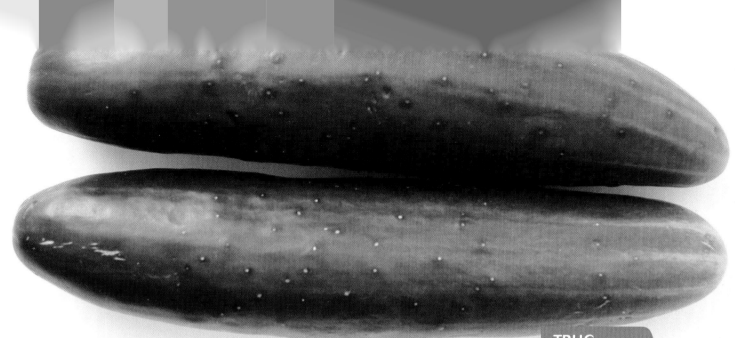

TRUC
PRATIQUE

Si vous avez suffisamment d'espace, cultivez les concombres sur des buttes de 30 cm de hauteur sur 30 cm de diamètre en déposant 4 graines ou 4 plants par butte. Un plant de concombre qui court sur le sol se marcotte et s'enracine, accumulant ainsi plus d'eau et d'éléments nutritifs.

5 **Ajoutez** du compost au pied du plant pendant la croissance, à raison de 5 cm de paillis de compost frais ou moyennement décomposé. Le paillis sert à ralentir l'évaporation de l'eau, à fertiliser et à limiter la croissance des herbes indésirables.

6 **Arrosez** régulièrement les plants à l'eau tiède dès que les premières fleurs apparaissent. Vous pouvez aussi appliquer aux 3 semaines des thés fertilisants à base de plantes (voir page 80). Au besoin, guidez les vignes au travers du treillis.

7 **Récoltez** en tenant la tige principale et en tirant sur le fruit. Cueillez le fruit jeune, sinon il jaunit, perd sa saveur, et la production d'autres fruits est ralentie. Le concombre se conserve de 2 à 3 semaines à des températures de 7 à 13 °C et à un taux d'humidité de 85 %.

La courge d'hiver musquée

Savourez au moins une fois la courge musquée (*Cucurbita mosquata*), simplement cuite au four avec une noisette de beurre et quelques graines de coriandre moulues: vous risquez fort de vouloir en faire pousser! Voici une technique éprouvée de culture sur treillis.

1 **Préparez le sol** en l'ameublissant avec la fourche à bêcher. Incorporez 5 cm de compost bien décomposé. La courge se cultive dans la parcelle I, celle des végétaux exigeants (voir page 32).

2 **Semez.** Après le dernier gel printanier, déposez à tous les 30 cm un groupe de 4 à 6 graines espacées de 5 cm. Recouvrez de 2 cm de terre. Quand les plantules portent 4 vraies feuilles, éclaircissez pour ne garder que 1 plant vigoureux aux 30 cm.

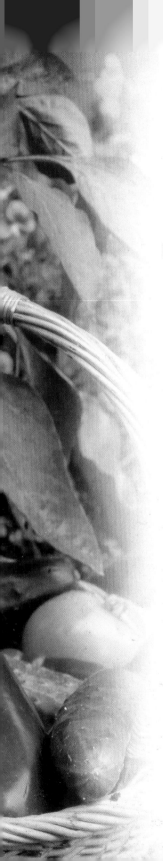

3 **Taillez** l'extrémité de la tige principale quand celle-ci porte 4 feuilles. Faites de même pour les tiges latérales quand elles ont 6 feuilles. Les vignes occuperont moins d'espace et vous obtiendrez un mûrissement complet des courges.

4 **Ajoutez 5 cm de compost** frais ou moyennement décomposé au pied des plants. En plus de fertiliser, le compost sert de paillis, préservant l'humidité du sol dont les courges raffolent. À partir de la floraison, arrosez-les par temps sec de façon à garder le sol humide, mais non détrempé.

5 **Contrôlez le mildiou poudreux**, cette couche grise qui envahit les feuilles et empêche le mûrissement des fruits (voir page 84). Arrosez simplement le feuillage avec de l'eau tiède tous les 3 jours.

6 **Récoltez** les fruits dont l'écorce a durci en coupant la tige principale et leur laissant la queue. Faites-les sécher en les suspendant au soleil pendant 14 jours. La courge résiste à un léger gel, qui lui donne encore plus de saveur.

7 **Conservez**. Vous pouvez entreposer la courge pendant 6 mois dans une pièce où la température est d'environ 13 °C et le taux d'humidité de 60 %. Évitez l'exposition à la lumière vive.

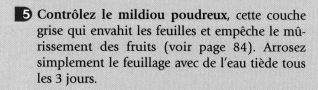

TRUC PRATIQUE

Si vous disposez d'espace au jardin, semez les courges sur des buttes de 30 cm de hauteur sur 30 cm de diamètre. Cette technique améliore le drainage, ce qui nuit à la chrysomèle rayée, un insecte ravageur qui recherche le sol humide pour pondre ses œufs.

Les courges sont décoratives et constituent pendant l'hiver une bonne réserve de fraîcheur. Ajoutez-les à vos gâteaux, à vos soupes ou servez-les simplement comme légume d'accompagnement à vos plats principaux.

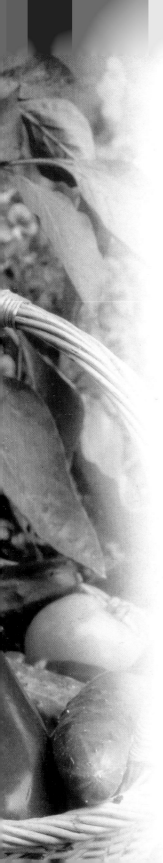

Le cresson de fontaine

De tous les cressons, le plus savoureux est le cresson de fontaine (*Nasturtium officinale*). Ajoutez un peu de piquant à vos salades de printemps ou à vos soupes d'automne en le cultivant près de l'eau ou au jardin.

La culture près de l'eau

1 **Semez** à l'intérieur. Vers la mi-mars, remplissez une caissette à semis avec du terreau de base (voir page 130) et incorporez 15 % de vermiculite. Déposez les semences aux 2 cm et à 0,5 cm de profondeur.

2 **Repiquez.** Quand les plants portent de 4 à 6 vraies feuilles, repiquez-les dans des contenants individuels de 500 ml remplis du même terreau. Maintenez humide.

3 **Préparez la transplantation.** Lorsque les risques de gel sont passés, choisissez un endroit humide et frais, près d'un cours d'eau. Humectez bien le terreau du contenant et renversez-le. Le plant glissera entre vos doigts.

4 **Transplantez près de l'eau** aux 15 cm en vous assurant de bien ancrer les racines dans le sol et de les mettre en contact avec l'eau du ruisseau ou de l'étang. Le cresson se multipliera à la surface de l'eau. Le goût du cresson qui croît dans l'eau courante est plus délicat.

5 **Récoltez** avant la floraison en détachant les pousses latérales lorsqu'elles atteignent environ 8 cm. Ces parties sont les plus savoureuses. Lavez et utilisez-les aussitôt cueillies, sinon elles auront tendance à jaunir. Le cresson a meilleur goût au printemps et à l'automne.

Le cresson au potager

6 **Préparez le sol** en incorporant à la surface à cultiver 5 cm de vermiculite, 5 cm de compost bien décomposé et 1 cm de sable. Ce mélange aide à maintenir le sol humide tout en évitant la pourriture des racines.

7 **Transplantez** en prenant soin de maintenir le sol humide, sinon le goût du cresson sera trop piquant.

Le cresson de fontaine a des cousins : le cresson alénois (*Lepidium sativum*) et le cresson des jardins (*Barbarea verna*). Ils se cultivent bien au jardin et vous offrent d'autres saveurs légèrement piquantes. Bon appétit !

Le haricot nain

Très productif, le haricot nain (*Phaseolus vulgaris*) est facile à cultiver. Il vous donnera une abondante récolte l'été, suivie d'une autre au début de l'automne. Pour le réussir, six étapes.

1 **Travaillez le sol** pour en assurer le drainage. Incorporez du sable grossier, du gypse agricole si le terrain est très compact (voir page 26), et mélangez 2 cm de compost mûr. On cultive le haricot en plein soleil dans la parcelle III, celle des végétaux peu exigeants (voir page 32).

2 **Semez** quand les risques de gel pour votre zone de rusticité sont passés. Trempez les semences dans l'eau pendant 2 heures et déposez-les à tous les 5 cm dans des sillons de 2 cm de profondeur. Espacez les sillons de 30 à 50 cm. Maintenez le sol humide.

3 **Éclaircissez** à tous les 10 cm quand les plants ont 4 vraies feuilles. Buttez les plants jusqu'aux premières feuilles pour qu'ils se tiennent bien droit.

4 **Arrosez** la base des plants avec de l'eau tiède. Évitez de mouiller le feuillage et de circuler près des haricots humides afin de réduire les risques de maladies telles que la rouille, le charbon et le mildiou. Ne laissez pas la terre s'assécher. Paillez par temps chaud (voir page 46).

Au jardin comme à la table, frais ou séché, le haricot nain est un bon compagnon de la carotte, de la betterave, du rutabaga et du maïs. De plus, il est très nutritif.

5 **Récoltez** à tous les 4 jours les haricots ayant la grosseur d'un crayon et dont on ne distingue pas la forme des grains. Évitez de les laisser grossir, ils seront plus tendres. Tenez la tige du plant, puis cassez ou coupez la queue.

6 **Conservez** les haricots. Frais, ils se conservent mal : mangez-les aussitôt cueillis. Pour obtenir des haricots secs, laissez-les mûrir et sécher sur le plant jusqu'à ce qu'ils soient dorés ou bruns. Écossez, puis entreposez-les à l'abri de la lumière.

Les laitues et les chicorées

Les laitues et les chicorées occupent peu d'espace et se présentent sous une multitude de formes, de couleurs et de goûts. Voici en sept étapes comment obtenir des plants savoureux.

1 **Le semis intérieur**. À la mi-mars, dans le terreau de base à semis, déposez la semence à 1 cm de profondeur à tous les 1 cm. Le semis peut aussi être effectué directement au jardin 2 semaines avant le dernier gel printanier.

2 **Séparez les pousses**. Prenez les plantules par les feuilles pour les séparer les unes des autres. Évitez de saisir la plantule par la tige, qui est très fragile.

3 **Repiquez** les pousses qui portent de 2 à 4 vraies feuilles dans un contenant en les espaçant d'environ 5 cm. Utilisez un petit transplantoir ou une cuillère à thé en acier inoxydable. Couvrez de terreau les 2 fausses premières feuilles (cotylédons).

4 **Préparez le sol**. Les laitues préfèrent un sol meuble, bien drainé et enrichi de compost très décomposé et d'azote. Cultivez-les dans la parcelle II, celle des végétaux moyennement exigeants (voir page 32).

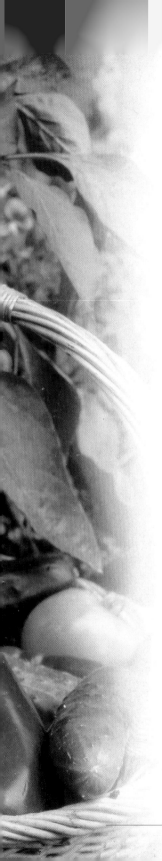

5 **Transplantez**. La distance entre les plants diffère d'une variété de laitue à une autre. Le radicchio: de 18 à 30 cm; la romaine: de 30 à 45 cm; les laitues en feuille: de 15 à 25 cm; la laitue pommée et la scarole: 30 cm; la chicorée de forçage: 15 cm.

La laitue en feuilles résiste mieux aux chaleurs de l'été qui font rapidement monter en graines les autres laitues. Bonne compagne de l'oignon, elle est en général de culture facile.

6 **Arrosez**. Pour contrer le choc de la transplantation, les laitues apprécient un arrosage à base d'émulsion d'algues ou de poisson (voir page 83). La laitue préfère un temps frais et un sol humide non détrempé.

7 **Récoltez**. Enlevez les feuilles des laitues en feuilles lorsqu'elles atteignent la grandeur de la main. Dans le cas des laitues pommées, des romaines et des radicchios, retirez tout le plant en tenant bien la racine. Coupez la racine à l'aide d'un couteau et mettez-la au compost.

Le maïs

Depuis des millénaires, le maïs (*Zea mays*) est cultivé au Québec sur les rives du Saint-Laurent. Accueillez dans votre jardin cette plante luxuriante, nutritive et tellement savoureuse !

1 **Ameublissez le sol** vers la fin de mai et mélangez-y 5 cm de compost bien décomposé. On pratique la culture du maïs dans la parcelle I, celle des végétaux exigeants (voir page 32).

2 **Semez**. Dès que la température est au-dessus de 16 °C, semez le maïs à tous les 5 cm et couvrez-le de 2 cm de terre. Comme le vent aide à la pollinisation, semez au moins 4 maïs par rang et un minimum de 4 rangs espacés de 70 cm.

3 **Éclaircissez** à tous les 20 cm en prenant soin de ne pas déraciner les plants voisins.

Faites cuire le maïs fraîchement cueilli et appréciez ses subtiles saveurs sucrées. Cette expérience vous convaincra du plaisir immense que procure sa culture dans votre arrière-cour.

4 **Soignez vos plants**. Pendant leur croissance, ajoutez du compost frais ou moyennement décomposé à leur pied. Cette pratique sert à réduire la présence d'herbes indésirables, à fertiliser et à maintenir l'humidité autour des racines pendant l'été chaud et sec.

5 **Récoltez** quand les soies (longs poils qui sortent des épis) sont sèches et brun foncé et que les épis sont biens formés. Tenez la tige d'une main et, de l'autre, «cassez» le maïs en appuyant vers le sol. Une fois les épis récoltés, n'arrachez pas le plant, mais coupez-le au ras du sol afin de ne pas déranger les plants voisins.

TRUC PRATIQUE

Si votre jardin est très petit, choisissez des variétés à tiges courtes comme «Early Sunglow» et «Butterfruit». Vous obtiendrez un bon rendement tout en évitant d'ombrager votre surface de culture.

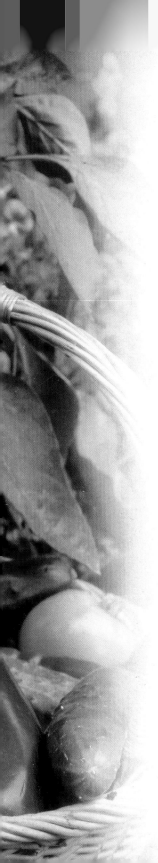

L'oignon

Comme l'oignon (*Allium cepa*) parfume plusieurs mets, certaines recettes sans oignons donneraient des plats à faire pleurer! Cultivez-les dans la bonne humeur!

1 **Semez à l'intérieur.** À la mi-février, dans une caissette remplie de terreau de base (voir page 130), déposez les graines à tous les 1 cm et recouvrez-les de 0,5 cm de terreau ou de vermiculite. Maintenez humide et exposez à la lumière 16 heures par jour à l'aide d'un éclairage d'appoint (voir page 132).

2 **Taillez les feuilles.** En cours de croissance, les semis d'oignons ont tendance à produire un feuillage qui s'allonge et tombe. Pour leur donner de la vigueur, coupez les extrémités à 10 cm de hauteur à l'aide de ciseaux. Répétez l'opération au besoin.

3 **Préparez le sol** 4 semaines avant le dernier gel printanier, lorsqu'il est ressuyé. Ameublissez-le à la fourche, l'oignon préférant les sols drainés. Creusez un sillon de 5 cm de profondeur. On cultive l'oignon dans la parcelle III, celle des végétaux peu exigeants (voir page 32).

4 **Transplantez** à tous les 5 cm en tenant bien la tige de l'oignon et en disposant les racines au fond du sillon. Entourez le plant de terre. Espacez les sillons de 25 cm. Transplantez par temps couvert pour éviter l'assèchement des racines.

5 Arrosez délicatement les oignons qui viennent d'être transplantés. Incorporez à votre eau d'arrosage de l'émulsion d'algues ou de poisson (voir page 83) afin de nourrir directement les racines qui viennent de subir un choc important. Vous encouragez ainsi une reprise vigoureuse.

Les oignons se conservent pendant 6 mois dans des sacs en filet à une température d'environ 7 °C et à un taux d'humidité de 55 %.

6 Éclaircissez les oignons quand ils atteignent environ 30 cm de hauteur en les espaçant de 10 à 15 cm.

7 Récoltez quand le feuillage jaunit. Ne laissez pas les oignons séjourner sur le sol afin d'éviter le développement de maladies. Retirez-les du jardin, étalez-les sur un grillage et faites-les sécher au soleil et au sec pendant 5 jours. Placez-les ensuite à l'ombre dans un endroit aéré durant 2 semaines.

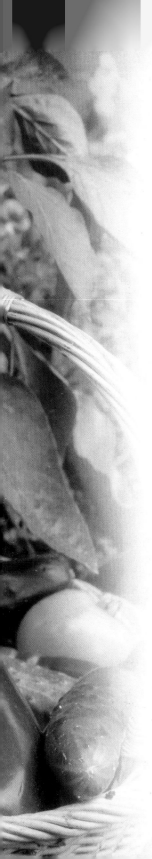

Le poireau

Que feriez-vous sans potage parmentier et sans poireaux vinaigrette ? Sucré comme l'oignon... mais moins fort pour les yeux, le poireau (*Allium ampeloprasum*) est un régal en plus d'être facile à cultiver.

1 **Semez les poireaux** à l'intérieur vers le 20 février en espaçant les semences de 1 cm à une profondeur de 0,5 cm. Utilisez une caissette remplie de terreau de base (voir page 130).

2 **Rabattez les poireaux** à 10 cm lorsqu'ils atteignent 20 cm et qu'ils ont tendance à s'affaisser. Cette opération fortifie les plants. Répétez au besoin. Ajoutez ces rognures à vos salades ou à vos soupes d'hiver.

3 **Préparez le sol** 4 semaines avant le dernier gel printanier en l'ameublissant finement. Ajoutez 4 cm de compost bien décomposé. Le poireau se cultive dans la parcelle II, celle des végétaux moyennement exigeants (voir page 32).

4 **Creusez** des sillons de 15 à 20 cm de profondeur avec la bêche. Espacez les sillons de 30 cm.

5 **Transplantez** en espaçant les plants de 15 cm. Arrosez avec une solution à base d'émulsion d'algues ou de poisson afin d'aider à la reprise des plants.

6 **Buttez**. Au fur et à mesure que le poireau croît, comblez le sillon de terre, puis buttez jusqu'à l'aisselle des feuilles afin d'obtenir de longs fûts blancs. Vous pouvez aussi cultiver le poireau très densément, à raison de 1 plant aux 10 cm. Les fûts resteront blancs, car les poireaux se feront mutuellement de l'ombre. Arrosez aux 2 semaines avec des fertilisants faits à partir de plantes (voir page 80).

7 **Récoltez** à l'aide de la fourche à bêcher. Disposez les poireaux avec leurs racines dans des contenants remplis de terre à jardin. Évitez que les fûts ne se touchent. À 2 °C, ils se conservent durant 5 mois si le terreau est humide, mais non détrempé.

TRUC PRATIQUE

Pendant l'hiver, laissez quelques poireaux en terre dans votre jardin en les protégeant avec un épais tapis de feuilles mortes. Récoltez-les au printemps suivant. Si toutefois vous les laissez en terre pendant une seconde année, ils donneront une magnifique inflorescence et des semences pour vos poireaux de l'année suivante.

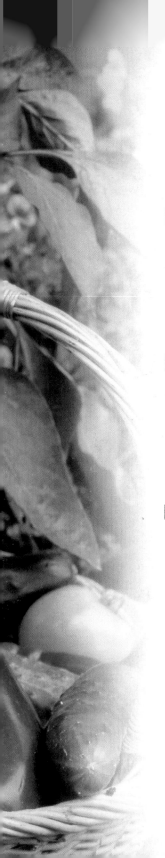

Le pois mange-tout

Parce qu'il aime la fraîcheur, le pois mange-tout (*Pisum sativum* var. *saccharatum*) est le premier légume à semer au printemps. Quelques-uns des secrets de ces petites cosses sucrées et nourrissantes.

1 **Bêchez** le sol dès qu'il est ressuyé. Évitez les apports d'azote (voir page 82). Les plants croissent mieux quand la température est de 10 à 16 °C. Les pois tolèrent la mi-ombre, mais ils préfèrent le soleil du printemps. On cultive les pois dans la parcelle III, celle des végétaux peu exigeants (voir page 32).

2 **Semez.** De 4 à 6 semaines avant le dernier gel printanier, semez les pois dans un sillon de 2,5 cm de profondeur et espacez-les de 5 cm. Buttez quand les plants ont 10 cm de hauteur. Les pois apparaissent environ 3 semaines après la floraison.

3 **Posez un support** fait de cordages, et vos pois pousseront mieux. Une structure d'environ 1,2 m de hauteur suffit. N'éclaircissez pas les pois, c'est inutile. Ne les plantez pas en zone venteuse pour éviter l'assèchement des plants.

Évitez d'associer le pois mange-tout à l'ail, à l'oignon ou au poireau, qui nuisent à sa croissance. Comme les pois se conservent peu longtemps, savourez-les immédiatement après la cueillette.

4 **Arrosez régulièrement** la base des plants à partir de la floraison. Évitez de mouiller le feuillage afin de prévenir les maladies dues aux champignons. Par temps très sec, épandez un paillis (voir page 46). Ne binez pas près des plants, parce que leurs petites racines sont fragiles.

5 **Cueillez** tôt le matin ou bien le soir pour que les pois soient succulents et juteux. Les pois commencent à se former dans les cosses : c'est le temps de la récolte. Pour obtenir une production continue, cueillez tous les 3 jours en prenant la tige principale d'une main et en tirant, de l'autre, la queue du pois.

Le poivron

Rouges, jaunes, verts ou pourpres, les poivrons (*Capsicum annuum*) constituent un ingrédient indispensable aux plats estivaux. Leur saveur unique et l'eau rafraîchissante qu'ils contiennent donnent assurément le goût de les faire pousser de façon écologique.

1 **Semez à l'intérieur.** De 8 à 12 semaines avant le dernier gel printanier, disposez les semences à tous les 1 cm dans un sillon de 6 mm de profondeur. Utilisez le terreau de base (voir page 130). Pour une bonne germination, la température de l'air ambiant doit idéalement se situer autour de 27 °C (près d'un calorifère, d'une fenêtre ou sur le frigo, par exemple).

2 **Repiquez.** Quand les plantules portent 2 vraies feuilles, repiquez-les dans des contenants individuels de 10 cm de diamètre, car leurs fragiles racines supportent mal la division au moment de la transplantation.

3 **Transplantez les plants** dans un sol meuble quand les températures nocturnes sont de 10 °C ou plus. Aux 30 à 45 cm, creusez un trou profond pour que les racines soient de 5 à 10 cm sous le niveau du sol, et transplantez. Arrosez. Le poivron se cultive dans la parcelle III, celle des végétaux peu exigeants (voir page 32).

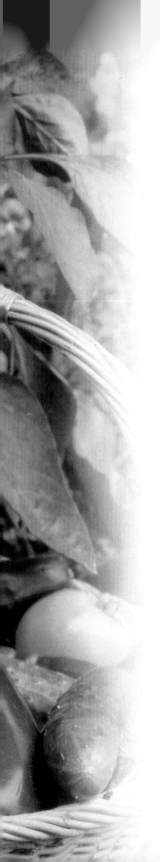

4 **Soignez vos poivrons**. Arrosez-les régulièrement. Les poivrons ont besoin d'eau: c'est le principal secret de leur réussite. En tout temps, évitez l'apport d'azote tel que le compost (voir page 82), sinon vous ne récolterez que des feuilles et peu ou pas de fruits !

5 **Récoltez**. Pour ne pas endommager la tige principale, coupez le pédoncule (queue) à l'aide d'un couteau bien aiguisé. Le poivron se conserve longtemps dans une chambre froide dont les températures varient de 7 à 13 °C et le taux d'humidité, de 80 à 90 %. Trop froid, le réfrigérateur le fait flétrir.

Les poivrons excitent nos papilles gustatives. Désaltérants, ils sont aussi une source importante de vitamines A et C. Plusieurs bonnes raisons d'en cultiver quelques plants dans votre jardin !

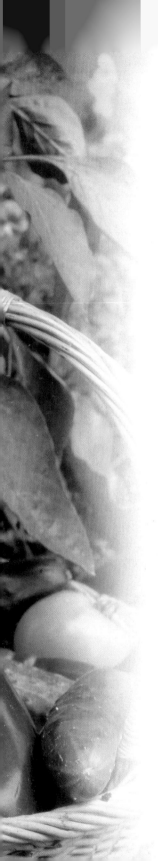

Le radis d'été

Lorsqu'il est semé pendant tout l'été, à l'exception du mois de juillet chaud et sec, le radis (*Raphanus sativus* var. *radicula*) peut colorer vos salades vertes et les rehausser de son goût piquant. Quelques données sur sa culture.

1 **Bêchez le sol** au printemps, quand il est ressuyé. Ajoutez du sable grossier et du gypse agricole si votre sol est compact. Incorporez 3 cm de compost décomposé sur la surface à cultiver. Le radis pousse au soleil ou à la mi-ombre et à la fraîcheur. Cultivez-le dans la parcelle II, celle des végétaux moyennement exigeants (voir page 32).

2 **Semez.** Déposez les graines à tous les 1,5 cm dans des sillons espacés de 25 cm et couvrez-les de 1 cm de terre. Pour une récolte continue, semez par petites quantités aux 2 semaines.

3 **Éclaircissez** les plantules à tous les 5 cm. Si elles sont trop tassées, elles ne forment pas la belle racine croquante que vous recherchez.

4 **Maintenez humide.** La sécheresse, même durant une seule journée lorsqu'il fait chaud, rend les radis mous et très piquants. Appliquez un paillis de sarrasin ou de compost très décomposé (voir page 46) pour ralentir l'évaporation et contrer la croissance d'herbes indésirables.

5 **Récoltez** quand les radis ont 2,5 cm de diamètre. Trop gros, ils deviennent fibreux et piquants. Arrachez tout le plant en le tenant par la base des feuilles. Coupez le feuillage et rincez les radis. Réfrigérez dans des sacs en plastique perforés.

TRUC PRATIQUE

Semez du radis d'été ici et là dans votre potager. Il serait un bon compagnon du concombre, du céleri, du poireau, du persil, de la roquette, de la mâche et du chou. Essayez-le !

La tomate

Des tomates-poires rouges aux tomates jaunes, en passant par les roses et les rouges, on est ravi par leur saveur incomparable, surtout quand on les fait pousser soi-même. Quelques trucs pour bien réussir ses tomates (*Lycopersicon esculentum*).

1 **Semez à l'intérieur**. Vers la mi-mars, dans un bac rempli du terreau de base à semis (voir page 130), semez les graines de tomates à tous les 1 cm et à 1 cm de profondeur.

2 **Séparez les plantules**. Quand les plants portent 2 vraies feuilles, séparez les plants en les tenant par les feuilles pour éviter de comprimer la tige fragile. Ne conservez que les plants les plus robustes.

3 **Repiquez** dans le même terreau de base à raison de 10 à 12 plants dans une caissette d'environ 15 X 30 cm. Arrosez bien.

4 **Ajoutez du compost** bien décomposé, une fois le sol bêché. La tomate se cultive dans la parcelle I, celle des végétaux exigeants (voir page 32). Épandez également du compost frais au pied des plants à la mi-juillet.

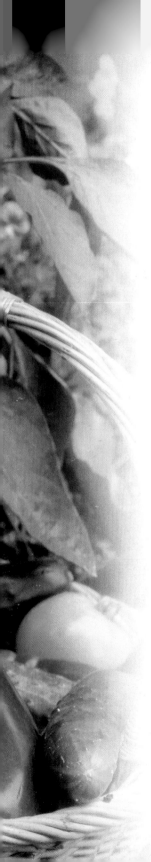

5 **Transplantez lorsque les risques de gel sont passés.** Creusez un sillon d'environ 10 cm de profondeur. Enlevez les feuilles à la base du plant, couchez le plant dans le sillon et recouvrez la tige de sol. Arrosez bien. Après la transplantation, enfoncez un tuteur en bois rugueux pour éviter que les attaches posées au fur à mesure de la croissance du plant ne glissent.

6 **Enlevez les gourmands** qui poussent aux aisselles des grandes feuilles de la tige principale. Déposez-les dans un volume égal d'eau, puis laissez-les fermenter pendant 5 jours. Filtrez et diluez-en 1 partie dans 10 parties d'eau. Arrosez les racines des plants de tomates de ce fertilisant.

7 **Récoltez** les tomates quand elles sont mûres, mais encore fermes. Une fois récoltées, elles se conservent mal. Quant aux vertes qui n'ont pas eu le temps de mûrir, emballez-les dans du papier journal et déposez-les sur des tablettes à l'abri de la lumière à des températures de 15 à 20 °C.

Ressources

Chapitre 1 Préparez votre jardin
Adresses utiles

**Fédération des sociétés d'horticulture
et d'écologie du Québec**
4545, av. Pierre-de-Coubertin
C. P. 1000, Succ. M
Montréal (Québec)
H1V 3R2
Tél. : (514) 252-3010
www.fsheq.com

**Les Amis du Jardin botanique
de Montréal**
4101, rue Sherbrooke Est
Montréal (Québec)
H1X 2B2
Tél. : (514) 872-1493

Nature-Action Québec
1616, boul. de Montarville, C.P. 434
Saint-Bruno-de-Montarville (Québec)
J3V 5G8
Tél. : (450) 441-3899
www.nature-action.qc.ca

Projet pour une agriculture écologique
Université McGill
21111, chemin Lakeshore
Sainte-Anne-de-Bellevue (Québec)
H9X 3V9
Tél. : (514) 398-7771
www.agrireseau.qc.ca

**Regroupement pour le jardinage
écologique**
C. P. 134
Drummondville (Québec)
J2B 6V6
www.rje.qc.ca

Terres en ville
1715, rue Fayolle
Verdun (Québec)
H4H 2S7
Tél. : (514) 766-2064

Chapitre 3 Des plates-bandes en santé

De l'aide pour le compostage

À Sherbrooke, par exemple, vous pouvez vous procurer une compostière pour 33,50 $, au lieu de 60 $ au prix courant. Pour bénéficier du prix réduit, vous devez suivre une formation sur le compostage. À Montréal, autre exemple, vous vous adressez à l'Éco-quartier de votre arrondissement et choisissez parmi 3 types de compostières celle qui vous convient, moyennant 25 $.

Jusqu'à présent, plus de 450 municipalités participent à un programme de distribution de compostières.

Ville	Prix
Hull (Gatineau)	30,00 $
Montréal	25,00 $
Sept-Îles	32,00 $
Sherbrooke	33,50 $

Pour savoir si votre municipalité participe à un programme de distribution de compostières, communiquez avec votre hôtel de ville ou votre bureau d'arrondissement.

Pour en connaître plus sur l'anatomie et le comportement des insectes

Cercle des jeunes naturalistes
Jardin botanique de Montréal
4101, rue Sherbrooke Est
Bureau 262
Montréal (Québec)
H1X 2B2
Tél. : (514) 252-3023
www.cjn.cam.org

Insectarium de Montréal
4581, rue Sherbrooke Est
Montréal (Québec)
H1X 2B2
Tél. : (514) 872-1400
www2.ville.montreal.qc.ca/insectarium

Musée canadien de la nature
240, rue McLeod
C.P. 3443, succursale D
Ottawa (Ontario)
K1P 6P4
Tél. : 1 800 263-4433
www.nature.ca

Société d'entomologie du Canada
Siège social
393, avenue Winston
Ottawa (Ontario)
K2A 1Y8
Tél. : (613) 725-2619
www.esc-sec.org

Pour en connaître plus sur les maladies des végétaux

Société canadienne de phytopathologie
774, promenade Echo
Ottawa (Ontario)
K1S 5N8
Tél. : (613) 730-6230
www.cps-scp.ca

Chapitre 5 De la semence à la récolte

Les grainiers (commande par catalogue)

Semences biologiques non traitées
*(avec mention dans le catalogue lorsque
certaines semences sont traitées)*

Abundant Life Seed Foundation
P.O. Box 772, Port Townsend, WA
U.S.A. 98368
Tél.: (360) 385-7192
Téléc.: (360) 385-7455
www.abundantlifeseed.com

EcoGenesis
1267-2384, rue Yonge
Toronto (Ontario) M4P 3E5
Tél.: (416) 485-8333

Happy Herbs
R.R. # 2
Uxbridge (Ontario) L9P 1R2

Johnny's Selected Seeds
955 Benton Avenue
Winslow, Maine, U.S.A. 04901
Tél.: 1 800 879-2258
www.johnnyseeds.com

Les Jardins du Grand-Portage
800, chemin du Portage
Saint-Didace (Québec) J0K 2G0
Tél.: (450) 835-5813
Téléc.: (450) 835-5813
www.intermonde.net/colloidales

Mapple Farm
129 Beech Hill Road
Weldon (Nouveau-Brunswick) E4H 4N5
Tél.: (506) 734-3361

Mycoflor
7850, chemin Stage
Stanstead (Québec) J0B 3E0
Tél.: (819) 876-5972
Téléc.: (819) 876-1077
www.produitsdelaferme.com/mycoflor

Prairie Garden Seeds
Box 118, Cochin (Saskatchewan) S0M 0L0
Tél.: (306) 386-2737
www.sasktelwebsite.net/ternier

**Programme semencier
du patrimoine Canada**
B.P. 36, Station Q
Toronto (Ontario) M4T 2L7
Tél.: (905) 623-0353

Salt Springs Seeds
P.O. Box 444, Ganges
Salt Spring Island
(Colombie-britannique) V8K 2W1
Tél.: (250) 537-5269
www.saltspringseeds.com

Seed Savers Heritage Farm
3076 North Winn Road
Decorah, IA, U.S.A. 52101
Tél.: (319) 382-5990
Téléc.: (319) 382-5872

Seeds of Change
P.O. Box 15700
Santa Fe, NM, U.S.A. 87506
Tél.: 1 888 762-7333
www.seedsofchange.com

Terra Edibles
535, rue Ashley
Foxboro (Ontario) K0K 2B0
Tél.: (613) 961-0654
www.terraedibles.ca

The Cook's Garden
P.O. Box 1889, Southampton, PA
U.S.A. 18966-0859
Tél.: 1 800 457-9703
Téléc.: 1 800 457-9705
www.cooksgarden.com

Windmill Point Farm
2103, boul. Perrot
Notre-Dame-de-l'Île-Perrot (Québec)
J7V 8P4
Tél.: (514) 453-9757
www.windmillpointfarm.ca

Semences non traitées
*(avec mention dans le catalogue lorsque
certaines semences sont traitées)*

Heirloom Seeds,
P.O. Box 245
W. Elizabeth, PA
U.S.A. 15088-0245
Tél.: (412) 384-0852
www.heirloomseeds.com

Rawlinson Garden Seed
269 College Road
Truro (Nouvelle-Écosse) B2N 2P6
Tél.: (902) 893-3051

Richters Herb Catalogue
Goodwood (Ontario) L0C 1A0
Tél.: (905) 640-6677
Téléc.: (905) 640-6641
www.richters.com

Vesey's Seeds
P.O. Box 9000, Charlottetown
(Île-du-Prince-Édouard) C1A 8K6
Tél.: 1 800 363-7333
Téléc.: 1 800 686-0329
www.veseys.com

West Coast Seeds
3925 64th Street
Delta (Colombie-britannique) V4K 3N2
Tél.: (604) 952-8820
Téléc.: 1 877 482-8822
www.westcoastseeds.com

William Dam Seeds
B.P. 8400
Dundas (Ontario) L9H 6M1
Tél.: (905) 628-6641
Téléc.: (905) 627-1729

Ma première commande chez le grainier

Si vous recherchez des semences biologiques non traitées, la meilleure façon de vous en procurer consiste à effectuer vos achats par catalogue. On y indique généralement si les semences sont hybrides, non hybrides, traitées ou non traitées. De plus, on y mentionne la résistance des variétés aux maladies. Pour passer votre première commande, vous devez vous procurer un catalogue en vous servant des adresses qui figurent aux pages précédentes. Un des grands intérêts de ce mode de commande : un très vaste choix de semences pour tous les goûts et toutes les situations. La plupart des fournisseurs vous offrent la possibilité de commander par la poste, par télécopieur et par courrier électronique. Selon les entreprises, vous pouvez payer par chèque, mandat-poste ou carte de crédit. Certaines ont même un site Internet. Vérifiez les frais de manutention et de poste ainsi que les frais de douane et le taux de change pour les commandes aux États-Unis. De plus, notez que certaines semences ne peuvent être importées des États-Unis en raison des risques de propagation de maladies et d'insectes ravageurs. Quand vous ne comprenez pas les renseignements du catalogue, n'hésitez pas à communiquer par téléphone avec l'entreprise.

Les catalogues sont distribués en général en décembre et au début de janvier. Une fois que vous avez effectué une première commande chez un fournisseur, celui-ci vous postera automatiquement le catalogue chaque année. Pour les commandes hors du Canada, vous devez parfois compter jusqu'à trois semaines avant d'obtenir vos semences. Pour raccourcir les délais de livraison, commandez dès janvier ou février : parfois trois jours suffisent au fournisseur pour vous expédier vos semences. En mars et avril, les délais sont longs, parce que tous les jardiniers passent leur commande pendant cette période.

Quand, par malheur, les sachets de semences que vous recevez par la poste sont endommagés, communiquez avec votre grainier. Certains acceptent de vous expédier de nouvelles semences sans que vous ayez à retourner les sachets endommagés. D'autres exigent que vous les leur retourniez. La plupart des fournisseurs vous expédieront de nouvelles semences sans frais de votre part. Pour savoir si vos semences germent adéquatement, procédez à un test de germination en semant 10 graines dans un terreau. Si elles germent peu, vous pouvez contacter votre fournisseur et exiger un échange ou un remboursement. Les grainiers apprécient recevoir des commentaires sur les taux de germination de leurs semences.

Notez que la durée de vie des semences varie d'une espèce à l'autre : l'oignon, 1 an ; le maïs et le poivron, 2 ans ; l'asperge, le haricot, le pois et la carotte, 3 ans ; la courge, la bette à carde et la tomate, 4 ans. Vous pouvez conserver les semences de brocoli, de cresson, de concombre, d'aubergine, d'endive, de laitue et de radis durant 5 ans. Assurez-vous d'entreposer vos semences au frais et au sec.

Si vous ne vous souciez pas que vos semences soient biologiques ou non traitées, vous pouvez les acheter dans les centres de jardinage, dans les quincailleries ou encore dans les magasins à grande surface. Cependant, si vous vous procurez vos semences dans un magasin non spécialisé, vérifiez sur le sachet qu'elles sont bien de l'année. Évitez les enveloppes de semences dont les couleurs ont pâli ou dont le papier a jauni : c'est signe qu'elles sont depuis longtemps dans le présentoir. Lorsque vous observez que le taux d'humidité du magasin est très élevé, évitez d'y acheter des semences, parce que l'humidité peut entraîner un début de germination.

Glossaire

Acide borique : un composé de bore et d'oxygène. Utilisé pour détruire les fourmis.

Amendement : opération visant à ameublir le sol, à modifier son taux d'acidité ou d'alcalinité ; substance incorporée au sol à cet effet.

Annuelle : se dit d'une plante qui accomplit son cycle vital complet en une seule année.

Bentonite : minéral argileux gonflant au contact de l'eau.

Binage : action d'ameublir et d'aérer la couche superficielle de la terre pour réduire l'évaporation de l'eau contenue dans le sol.

Bisannuelle : se dit d'une plante qui accomplit son cycle vital complet en deux années.

Buttage : action de disposer la terre en petites buttes ; garnir une plante de terre qu'on élève autour du pied.

Caïeu ou cayeu : bourgeon secondaire qui se développe sur le côté du bulbe de certaines plantes telles que l'ail. Synonyme : gousse.

Charbon : maladie qui se caractérise par la présence de masses importantes noires ou brun foncé sur les feuilles, les tiges, les fleurs et les graines.

Chaux : composé minéral qui sert à réduire l'acidité du sol.

Chaux agricole : composé minéral qui provient des sédiments de pierres calcaires naturelles. On utilise cette pierre à chaux moulue afin de réduire rapidement l'acidité du sol.

Chaux dolomitique : chaux agricole très riche en magnésium.

Chlorose : affaiblissement et jaunissement des plantes vertes par manque de chlorophylle.

Croisement : méthode de reproduction sexuée entre deux plantes, de variétés différentes ou d'espèces différentes.

Cultivar : toute variété végétale agricole, quelle qu'en soit la nature génétique.

Émulsion : préparation obtenue par division d'un liquide en gouttelettes microscopiques au sein d'un autre liquide avec lequel il ne peut se mélanger. Émulsion d'algues, émulsion de poisson.

Éricacées : famille de plantes comprenant notamment les bruyères, les myrtilles, les bleuets, les azalées et les rhododendrons.

Espèce : groupe naturel d'individus descendant les uns des autres dont les caractères génétiques, morphologiques et physiologiques, voisins ou semblables, leur permettent de se croiser.

Fongique : causé par les champignons.

Fonte des semis : maladie due à un champignon, et qui cause l'affaissement des jeunes pousses.

Grasse: se dit d'une plante à tiges ou à feuilles épaisses et juteuses.

Gypse: roche composée de sulfate de calcium, utilisée pour améliorer la structure des sols argileux neutres ou calcaires.

Hybride: plante provenant du croisement de deux races, espèces ou genres différents. S'emploie aussi adjectivement.

Indigène: se dit d'une plante qui croît spontanément dans un pays, c'est-à-dire sans culture, et sans intervention de l'homme.

Inflorescence: groupe de fleurs sur une tige.

Mica: minéral à structure feuilletée, facile à séparer par couches.

Miellat: liquide sucré produit par divers insectes parasites (pucerons, cochenilles, etc.) à partir de la sève de certaines plantes, et dont se nourrissent les fourmis et les abeilles.

Mildiou: maladie causée par un champignon qui attaque différentes plantes et qui se distingue par la présence de taches brunes ou blanc jaunâtre sur la face supérieure des feuilles et blanches duveteuses sous les feuilles.

Mildiou poudreux: mildiou qui a la consistance d'une poudre blanche, et qui envahit les tiges et les deux faces des feuilles. Des taches jaune pâle précèdent leur apparition. Synonymes: oïdium, blanc.

Ombellifères: famille de plantes caractérisées par une racine pivotante et des fleurs en ombelle (angélique, anis, carotte, céleri, cerfeuil, panais, persil).

Prédateur: animal qui se nourrit de proies.

Rabattre: retrancher une partie d'un plant pour en diminuer la hauteur.

Résineux: arbres qui produisent de la résine. Au Québec, les principaux résineux sont des conifères: pin, sapin, épinette, mélèze, if, thuya et genévrier.

Ressuyer: faire sécher le sol.

Rouille: maladie provoquée par un champignon et caractérisée par des taches semblables à de la rouille sur les tiges et les feuilles.

Sarclage: opération agricole qui consiste à extirper les végétaux nuisibles et à ameublir la surface du sol.

Turion: jeune pousse naissant annuellement de la souche d'une plante vivace.

Variété: subdivision de l'espèce, délimitée par la variation de certains caractères individuels.

Vivace: se dit d'une plante dont la racine vit un certain nombre d'années (plus de deux ou trois ans).

Bibliographie

Chapitre 1
Préparez votre jardin

Canadian Wildlife Federation. *Backyard Habitat for Canada's Wildlife.* Ottawa : Canadian Wildlife Federation, 1996. 189 p.

Doucet, Roger. *La science agricole. Climat, sols et productions végétales du Québec.* Québec : Éditions Berger, 1994. 700 p.

Gabriel, Ingrid. *L'installation d'un jardin biologique.* Paris : La Maison Rustique, Flammarion, 1988. 128 p.

Gagnon, Yves. *Le jardinage écologique.* Québec : Éditions Colloïdales, 1993, 269 p.

Readman, Jo. *La bonne terre de jardin.* Paris : Terre Vivante, 1992. 48 p.

Sélection du Reader's Digest. *Nouveau guide illustré du jardinage au Canada.* Montréal, 2000. 544 p.

Chapitre 2
Organisez votre jardin

Andrès, Fabienne. *Aménager-Utiliser la Serre.* Colmar : Éditions S.A.E.P., 1999. 96 p.

Berry, Susan et Steve Bradley. *Mon jardin en pots.* Montréal : Sélection Reader's du Digest, 1997. 160 p.

Bradley, Valérie. *Les jardins de ville.* Paris : Les Éditions de l'Orxois. 1998, 96 p.

Campbell, Stu. *The Mulch Book.* Pownal, Vermont : Storey Communications, 1991. 120 p.

Coleman, Eliot. *Four-Season Harvest.* Vermont : Chelsea Green Publishing, 1992. 212 p.

Fortin, Daniel. *Un jardin de fleurs au Québec.* Outremont : Éditions du Trécarré, 2001. 198 p.

Hodgson, Larry. *Perenials for Every Purpose.* Emmaus, Pennsylvania : Rodale, 2000. 502 p.

Hunt, Marjorie B. et Brenda Bortz. *High-Yield Gardening.* Emmaus, Pennsylvania : Rodale Press, 1986. 403 p.

Joyce, D. *Petits jardins en pots.* Londres, 1991. 96 p.

Ministère de l'Environnement et de la Faune du Québec. *Jardiner tout naturellement.* Québec : Les Publications du Québec, 1995. 56 p.

Prieur, Benoît. *Guide du jardinage et de l'aménagement paysager.* Québec : Éditions de l'Homme, 1993. 431 p.

Rubin, Carole. *How to Get Your Lawn and Garden Off Drugs.* Vancouver : Friends of the Earth, Whitecap Books, 1989. 97 p.

Smith, Shane. *Greenhouse Gardener's Companion.* Golden, Colorado : Fulcrum Publishing, 1992. 531 p.

Vergine, Gary et Michael Jefferson-Brown. *Tough plants for tough places.* Lincolnwood : Contemporary Books, 256 p.

Chapitre 3
Des plates-bandes en santé

Fertilisation et compostage

Appelhof, Mary. *Worms Eat My Garbage.* Kalamazoo, Michigan : Flower Press, 1992. 99 p.

Gagnon, Yves. *La culture écologique pour petites et grandes surfaces.* Québec : Éditions Colloïdales, 1990. 239 p.

Martin, L. Deborah et Gershuny Grace. *The Rodale Book of Composting.* Emmaus, Pennsylvania : Rodale Press, 1992. 278 p.

PARNES, ROBERT. *Fertile Soil. A Grower's Guide to Organic & Inorganic Fertilizers.* Davis, California : agAccess, 1990. 190 p.

PETIT, JACQUES. *Compost, théorie et pratiques.* Québec : Éditions L'oiseau moqueur, 1988. 91 p.

READMAN, JO. *Ces herbes qu'on dit mauvaises.* Paris : Terre Vivante, 1997. 64 p.

SMEESTERS, ÉDITH. *Le compostage domestique.* Québec : Fleurs Plantes Jardins, 1993. 44 p.

RAVAGEURS

ALFORD, V. DAVID. *A color Atlas of Pest of Ornamental Trees, Shrubs and flowers.* Portland, Oregon : Timber Press, 2003. 448 p.

CARR, ANNA, LINDA GILKESON et MIRANDA SMITHS. *Insect disease & Weed.* Emmaus, Pennsylvania : Rodale, 2001. 308 p.

ELLIS, BARBARA. *Organic Pest & Disease Control.* New York : Taylor's Weekend Gardening Guide, 1997. 121 p.

GRABER, CLAUDIA et HENRI SUTER. *Les limaces sous contrôle.* Paris : Terre Vivante, 1991. 71 p.

HENGGELER, S. et O. SCHMID. *Ravageurs et maladies au jardin.* Paris : Terre Vivante, 1997. 245 p. (Les quatre Saisons du jardinage)

LES PUBLICATIONS DU QUÉBEC. *Protégez votre jardin.* Québec : Gouvernement du Québec, 1991. 103 p.

LOPEZ, ANDREW. *Natural Pest Control, Harmonious technologies.* Sebastopol, California : 1998, 159 p.

MARINELLI, JANET. *Brooklyn Botanic Garden Natural Insect Control.* New York : Brooklyn Botanic Garden publications, 1994. 112 p.

MASSINGHAM HART, RHONDA. *Bugs, Slugs & Other Thugs.* Controlling Garden Pest Organically. Vermont : Storey Communications, 1993. 214 p.

RICHARD, CLAUDE et GUY BOIVIN. *Maladies et ravageurs des cultures légumières au Canada.* Ottawa : Société canadienne de phytopathologie et Société d'entomologie du Canada, 1994. 590 p.

RIOTTE, LOUISE. *Les roses aiment l'ail. La culture par le compagnonnage des fleurs.* Montréal : Les Éditions Québécor, 1988. 179 p.

Chapitre 5
De la semence à la récolte

ASHWORTH, SUZANNE. *Seed to Seed, Seed Saver Publications.* Decorah, Iowa : 1991, 222 p.

BALL, JEFF. *The Selfsufficient Suburban Garden.* Emmaus, Pennsylvania : Rodale Press, 1983. 236 p.

BARTHOLOMEW, MEL. *Le jardinage en carrés.* Emmaus, Pennsylvania : Édition Horizon Rodale Press, 1984. 405 p.

BENNET, JENNIFER. *Northern Gardener.* Camden East : Camden House, 1982. 210 p.

BUBEL, NANCY. *The New Seedstarter Handbook.* Emmaus, Pennsylvania : Rodale Press, 1988. 385 p.

COLEMAN, ELIOT. *The New Organic Grower.* Camden East, Ontario : Old Bridge Press, 1989. 269 p.

DESCHÊNES, RAYMOND. *Guide d'un jardin organique.* Québec : Éditions de Mortagne, 1989. 235 p.

GAGNON, YVES. *La culture écologique des plantes légumières.* Québec : Éditions Colloïdales, 1998. 296 p.

GINGRAS, PIERRE. *Des bulbes en toutes saisons.* Montréal : Les Éditions de l'Homme, 2000. 288 p.

HEYNITZ, MERCKENS. *Le jardin bio dynamique.* Stuttgart : Ulmer, 1987. 287 p.

HILL, LEWIS. *Secrets of Plant Propagation.* Pownal, Vermont : Garden Way Publishing Book, 1985. 168 p.

HODGSON, LARRY. *Les semis.* Québec : Éditions Fleurs Plantes Jardins, 1995. 61 p.

JEAVONS, JOHN. *Comment faire pousser plus de légumes.* Traduit du français par Nicole Cliche. Berkeley : Ecology Action of the MidPeninsula, 1982. 115 p.

LA MÈRE MICHEL. *Le jardin naturel.* Montréal : Éditions de l'Aurore, 1976. 307 p.

PFEIFFER, EHRENFRIED. *Biodynamic Gardening and Farming, Volume 2.* Spring Valley, New York : Mercury Press, 1983. 140 p.

RENAUD, VICTOR et CHRISTIAN DUDOUET. *Le potager par les méthodes naturelles.* Paris : Éditions Rustica, 1994. 351 p.

THOREZ, JEAN-PAUL. *Le guide du jardinage biologique.* Paris : Terre Vivante, 1998. 286 p.

WHEALY, KENT et JOANNE THUENTE. *Garden Seed Inventory.* 4ᵉ ésdition. Iowa : Seed Saver Publications, 1995. 630 p.

WOYS WEAVER, WILLIAM. *Heirloom Vegetable Gardening.* New York : Henry Holt and Company, 1997. 439 p.

Index

Les numéros de page en caractère gras renvoient à la référence principale.